Chinese Examination Study Guides
中文考试辅导丛书
Series Editor YU Bin

Chinese A2

- Emma Lejun WU
- CHEN Ying
- JIN Wei
- PENG Cong
- YU Bin

CYPRESS BOOKS

Cypress Book Co. UK Ltd.

Chinese Examination Study Guides
Series Editor: YU Bin

Volume III: Chinese A2

Compiled by
Emma Lejun WU
CHEN Ying
JIN Wei
PENG Cong
YU Bin

Advisors:
Katharine Carruthers
LI Xiaoqi

Editor: RU Jing
Cover Design: ZHANG Wenqing

First published in Great Britain in March 2008 by Cypress Book Co. UK Ltd.
13 Park Royal Metro Centre
Britannia Way
London NW10 7PA

Tel: 02084530687
Fax: 02084530709
Email: info@cypressbooks.com
Find us at www.cypressbooks.com

ISBN9781845700089

Printed in China

前　言

　　《中文考试辅导丛书》是依据英国Edexcel考试局考试大纲编写的一套中文考试辅导教材，目的是通过大量有针对性的指导及练习，使学生充分温习所学知识，理解和掌握考试要求、考试题型、考试难度、考试技巧，提高学生听、说、读、写、译的能力，帮助他们在 GCSE，AS和A2三个阶段的考试中取得良好成绩。

　　本套丛书目前共包括三册：Chinese GCSE，Chinese AS 和 Chinese A2。Chinese GCSE 适用于已学习中文三年以上的学生；Chinese AS 适用于已达到 GCSE 水平的学生；Chinese A2 适用于已达到 AS 水平的学生。中文教师可以将本套丛书用于课堂教学，学生也可将其用于自学。三册书体例基本一致，包括考试介绍、考试技巧、练习题集、学生范文、作文评析、模拟试题、汉语语法、练习答案等。

　　为了编写这套丛书，我们召集了英国剑桥大学教师，中国文学、语言学博士，在英国任教多年、经验丰富的中学教师及国内专家、学者，大家贡献所长，希望为热爱中文的学生提供一些帮助。盼各位不吝赐教，使我们这套丛书更趋完善、丰富。

　　在丛书编写过程中，我们得到了很多支持和帮助。首先感谢英国专长学校联合会中文项目负责人杜可歆 (Katharine Carruthers) 女士及北京大学对外汉语教育学院院长李晓琪教授；作为顾问，她们在百忙之中为我们提出了极为宝贵的意见和建议；特别感谢常青图书 (英国) 有限公司夏战生先生及其同仁对丛书自始至终的热情；最后，感谢为丛书提供个人习作的学生及其他所有为我们提供无私帮助的朋友们。

《中文考试辅导丛书》编委会

Preface

The *Chinese Examination Study Guides* are written in accordance with the examination stipulations of the Edexcel Examination Board to help students prepare for *GCSE*, *AS* and *A2* Chinese examinations. Our objective is to enable students to fully revise existing language skills and to get to grips with the demands of Chinese language exams, including question style, level of difficulty and exam technique. Through the guidance and practice opportunities provided, students will be able to bring their listening, speaking, reading, writing and translation skills up to a standard where they can feel confident of achieving good results at all three examination levels.

The series currently includes three books. *Chinese GCSE* is suitable for those who have already studied Chinese for more than three years; *Chinese AS* is for those who have already completed *GCSE*; and *Chinese A2* is suitable for those who have already reached *AS* level. Chinese language teachers can use this series of books in their classroom teaching, and students can use them to assist with self-study. The format of the three books is essentially the same, including a general introduction to the exam in question, practice exercises, sections on grammar and examination technique, composition appraisal, example texts, mock exam questions, and answers.

In producing these guides, we have drawn on the help of Chinese language teachers and doctoral candidates in Chinese literature and linguistics at the University of Cambridge, Chinese school teachers with many years of valuable teaching experience in Britain, and scholars from within China. All have willingly offered their expertise in the hope that this will help and encourage students of Chinese. We welcome any suggestions or advice that might allow us to improve upon or further enrich these study guides.

The authors would like to thank all those who have given the series their invaluable help. In particular, we are grateful to Mrs Katharine Carruthers, National Programme Coordinator for Chinese Networks, Specialist Schools and Academies Trust and Professor Xiaoqi Li, Director of the International College for Chinese Language Studies, Peking University, consultants to the series, for their many inspiring comments and suggestions. Our special thanks also go to Zhansheng Xia of the Cypress Book Company, who, along with his colleagues, has shown continuous enthusiasm and professional dedication to the series. Finally, we would like to thank all the students who have kindly offered their essays for use as examples in the study guides and also other individuals who have given the series invaluable help.

Chinese Examination Study Guides Editorial Board

An Overview of the Book

Amongst the first series of Chinese examination study guides in Britain, *Chinese A2* is the most advanced level following *Chinese GCSE* and *Chinese AS*. As study guide, it is an integral part of the three levels. It is particularly useful for those who have reached the levels of *GCSE* and *AS* and intend to take further examinations of Chinese.

Chinese A2 is designed to aid any learners of Chinese intending to take Chinese examinations. It has strictly followed the curriculum set by the acclaimed Examination Board Edexcel. According to Edexcel, the *AS* unit – Unit 1 – represents 50 percent of *Advanced GCE*. The *AS* unit will assess the knowledge, understanding and skills expected of students who have completed the first half of the full *Advanced GCE* course. The *A2* unit – Unit 2 – represents 50 percent of *Advanced GCE*. The *A2* unit will assess the knowledge, understanding and skills expected of students who have completed the full *Advanced GCE* course. The *A2* unit will consist of two sections:
  • Section 1: Reading and writing (20 marks 20%)
  • Section 2: Research-based essay (60 marks 30%)

There are altogether five sections in this book.

The book starts with Reading Comprehension. There are altogether 15 passages with words ranging from 300–400. 3–5 questions are provided at the end of each passage to give students a chance to check their own comprehension.

Part 2 is Translation. There are 15 articles for students to practise translating. Each article has 200–250 words. Sample translations for each article are provided for users as references.

Part 3 is Writing. In this part, background reading required by the examination board is comprehensively included. The areas covered are: modern history – 20th century, geography/regional; socio-economic/socio-cultural; philosophy and religion; literature. Part 1, 2 and 3 all have Mark Schemes and Examination Techniques as these two items are important for the learners. All Mark Schemes are adopted from Edexcel (http://www.edexcel.org.uk/quals/gce/mfl/adv/9610/). All Examination Techniques are written by our experienced editors with Edexcel's requirements in mind. In all these three parts, there are questions for the learners to answer when they do the exercises.

In order to assist students in making the best preparation for the exam, part 4 is designed for Mock Examination. Taking the Mock Exam in their own time will enable students to have a better feel about the examination and discover in which areas they need further improvement. This no doubt will help students perform better in the examination.

Part 5 is a comprehensive introduction of multiple-clause sentences. The two types of multiple-clause sentences, i.e., coordinate complex sentences and endocentric complex sentences (with one main clause, one or more subordinate clauses), are explained in detailed subcategories. In each subcategory, sample sentences are given following the definition of each type of sentence. Conjunctions and correlative words are also listed at the end of each section to aid the learners' understanding of usage. Exercises are provided for the learners to test their understanding of multiple-clause sentences at their own pace.

YU Bin, Emma Wu, PENG Cong, JIN Wei and CHEN Ying are the editors of this book. The following is a breakdown of who is responsible for which area:

YU Bin: Reading and reading techniques; Socio-economic/socio-cultural;
Emma Wu: Grammar; Reading; Modern history;
PENG Cong: Philosophy and Religion;
CHEN Ying: Socio-economic/socio-cultural; Literature and writing techniques;
JIN Wei: Translation and translation techniques.

We sincerely hope that *Chinese A2* will serve as a useful guide for those who wish to stretch their Chinese to a higher level beyond *GCSE* and *AS*.

Table of Contents

Part One   Reading

Part Two   Translation

Part Three　Writing

Part Four   Mock Exam

Part Five   Grammar

Appendixes

Part One: Reading

1 | Mark Schemes (10 marks 10%)

Students will be required to read a piece of authentic target-language material and to retrieve and convey information via questions and answers in the target language.

For the questions and answers in the target language, up to 10 marks will be awarded following the detail required for individual questions.

Marks will be awarded for both completion of task and quality of language including grammar and structures. Knowledge and skills to be rewarded include the ability to write clearly, accurately and to respond relevantly and effectively to the task.

2 | Examination Techniques

▶ Pay close attention to the task and make sure you understand what you have to do.

▶ Read the questions before starting to read the whole text as they give you a purpose for reading and help you stay focused on the relevant information in the text.

▶ Read through the text once to get main points or the most important information. Don't rush into answering the questions.

▶ Read the text again and identify where you will find the answers to the questions.

▶ Always give an answer to every question - there is always the chance that your answer will be right, even if you have guessed it. On the other hand, if you leave a blank, you will get zero marks.

▶ Do not overwrite as this will waste you precious time in the exam. Give only the information required.

▶ Do not spend too long on a single question. If the question is too difficult, skip it and go to the next one. You can come back and do it later.

▶ The number of marks value and the answer space for each questions provided will help you decide how much information is required.

▶ Read the questions again, particularly those that you find difficult. Make sure that you have answered them as accurately as you can. Correct any errors and add further relevant information if necessary.

Exercises

阅读一

香港的茶餐厅

调查显示，接近百分之五十的香港人认为，茶餐厅[1]是他们外出午餐时最常去的地方；而在香港上月举办的"十个最代表香港的设计"评选中，茶餐厅得票排名第一，成为香港人眼中"最香港"的设计。

茶餐厅受到港人欢迎，理由主要有以下几点：

茶餐厅的方便快捷，和争分夺秒的港人生活节奏十分合拍。

茶餐厅定价不高，每餐平均消费大约二十到四十港元，即使天天去，普通老百姓也消费得起。

茶餐厅的饮食品种很多，既有中式酒楼供应的肉类、海鲜，又有西餐厅卖的火腿、咖啡、奶茶等，还有煲仔饭[2]、明炉小炒[3]等本地传统小吃，以及一些香港的特色食品。

---

1 茶餐厅：Chinese-Style bistro
2 煲仔饭：clay-pot cooked rice
3 明炉小炒：open-oven style stir fried

　　茶餐厅营业时间长，品种有早茶、午饭、下午茶、晚餐、夜宵和外卖等，经营方式很灵活，薄利多销[1]，收入很不错。

　　有香港学者认为，茶餐厅最早出现在香港是在早期殖民[2]统治时期。第二次大战后，香港人受到西式生活习惯的影响，很喜欢西方人喝咖啡的方式，所以香港就出现了茶餐厅。

　　茶餐厅的平民气氛和所表现的本土文化给人一种亲切感。难怪不少港人说：离开了香港的时候，心里总会挂念着茶餐厅。

　　（根据《人民网》2005年1月20日《香港人钟情茶餐厅："大众食堂"见证香港变迁》改编：　http://www.people.com.cn/GB/42272/42280/42458/42580/3134008.html）

思考题：

❶ 香港人为什么喜欢茶餐厅？举出其中的3种理由。

❷ 茶餐厅的食品有哪些特点？

❸ 茶餐厅是什么时候出现的？

❹ 茶餐厅为什么让人感到亲切？

阅读二

大学生的高消费让人担忧

　　中国大学生不断上升的花费，给不习惯说"不"的家长们增加了沉重的负担。如今，在中国不少高校，电脑、手机、ＣＤ、ＭＰ３、电子词典被称为大学生的"五件武器"。

　　手机在校园里的普及率很高，几乎是人手一机，不少大学生还拥有几部手机，分别用来和不同的人联系。根据了解，很多学生盲目跟随潮流，为买手机"打肿脸充胖子[3]"，给家庭带来了不必要的经济负担。

1　薄利多销：small profits but quick returns/turnover
2　殖民：establish a colony
3　打肿脸充胖子：Slap one's face until it's swollen in an effort to look imposing; do sth. beyond one's means in order to be impressive.

各种各样的宴请，在大学生的消费中也很常见。生日，老乡聚会，同学互访……，简直让人忙不过来。

爱情消费在大学里也不是一个小数字。许多大学生告诉记者，如今的爱情用免费的红花、绿叶应付当然不行，许多情侣，特别是一些男生为了爱情宁可借钱也要给女朋友买贵重礼品。"老同学聚餐150元，请室友吃饭200元，买礼品送女朋友200多元，马上要到的圣诞节还要再花200元……"这是一位大学生列出的11月份的花销。一位老师告诉记者，很多外地学生在家信中跟父母要钱，而远在家乡的父母并不了解孩子如此消费，只得省吃俭用，甚至不得不向亲戚朋友借钱，为的是满足子女的物质要求。

教育界人士认为，各高校应该对大学生加强教育，帮助他们合理、适当地消费。学生应当把精力更多地集中在学业上，不必过分追求物质享受，学会对高消费说"不"。

（根据《学汉语》杂志系列读物——《中国故事》改编）

思考题：

❶ 大学生高消费主要用于哪些方面？

❷ 高消费对家庭、对学生本身有什么影响？

❸ 教育界人士对学生提出了哪些建议？

❹ 你怎样看待高消费？

阅读三

中国人的饮食习俗

中国人的传统饮食习俗是以植物性原料为主。主食是五谷，辅食是蔬菜，外加少量肉食。形成这一习俗的主要原因是：中原地区主要的经济生产方式是农业。但在不同的社会阶层中，食物搭配的比例是不一样的，因此古代把统治者称为"肉食者"。

以热食、熟食为主，也是中国人饮食习俗的一大特点。这和中国文明开化较早和烹调技术的发达有关。中国人饮食原料的广泛、烹调技术的精致闻名全世界。根据史书记载，南北朝[1]时，南朝梁武帝萧衍的厨师，一个瓜就能烹调出十种式样，一个菜能做出几十种味道，烹调技术的高超，令人惊叹。

在饮食方式上，中国人也有自己的特点，这就是聚食制。聚食制的起源很早，从许多发掘出的地下文物就可以证明。聚食制的长期流传，是中国人重视血缘、亲属关系和家族、家庭观念在饮食方式上的反映。

在食具方面，中国人饮食习俗的一大特点是使用筷子。筷子，古代叫箸(zhǔ)，在中国有悠久的历史。至少在殷[2]商[3]时代，中国人已经使用筷子吃饭。筷子一般用竹子制成，即简单经济，又很方便。在许多欧美人眼里，东方人使用筷子是一种艺术创造。

（根据《中青网》《中国人的饮食习俗》改编：http://www.cycnet.com.cn/encyclopedia/history/culture/sitology/culcollect/200117127.htm）

思考题：

❶ 中国人传统饮食由哪些食料构成？哪种是最主要的？

❷ 古代为什么称统治者为"肉食者"？

❸ 中国的饮食为什么会闻名世界？

❹ "聚食制"为什么会一直流传到现在？

❺ 使用筷子有哪些好处？

阅读四

救救天鹅

山东省荣成[4]市因天鹅湖而出名。每年11月，都会有大批天鹅飞到这里过冬，最多的时候有七千多只。袁学顺是天鹅湖边一个小渔村里的普通农民，20多年来，他一直为保护天鹅而奔波，是远近闻名的义务"护鹅人"。

---

1 南北朝：the Northern and Southern Dynasties(420-589)
2 殷：the Yin Dynasty, the latter period of the Shang (商) Dynasty
3 商：the Shang Dynasty (16th-11th B.C.)
4 荣成：county-level city in Weihai prefecture-level city, Shandong Province, in eastern China

当老袁还是个中学生的时候，就在老师的带领下，为保护天鹅而奔忙。多年来，经他手救治的天鹅超过了500只。每天早上从六点到八点，他都要绕整个湖区巡视[1]一遍，这样做除了为救护受伤的天鹅以外，还为了提防一些狩猎的人。

今年冬天，来天鹅湖越冬的天鹅不仅比往年大大减少，而且在很短的时间内接连死去。这让老袁忧心忡忡[2]。究竟是什么原因导致天鹅接连死亡？又是什么原因使来这里过冬的天鹅大大减少了呢？

原来，从上游流到湖里的几条河的水源被污染了。污染源有城市的生活废水、冷藏厂、养殖厂的废水，甚至还有医院的废水。这些水没有经过任何人工处理，就直接排入河中流入湖内，天鹅每天喝的正是这样的脏水。

这个冬天，仅仅从12月以来，老袁就发现了12只天鹅的尸体。

面对天鹅生存环境的日益恶化，老袁开始四处奔走，呼吁求救。他目前最迫切的心愿就是能够尽快解决天鹅的饮水和食物问题，以便让剩下的天鹅能够健康地生活下去，至少能顺利地度过这个冬天。

老袁的心愿能不能最终实现呢？

（根据《人民日报海外版》2005年1月6日《袁学顺：救护天鹅二十年》改编）

思考题：

❶ 袁学顺为什么 "远近闻名"？

❷ 今年冬天，天鹅湖出现了什么反常现象？为什么？

❸ 老袁为什么"四处奔走"？他的最大愿望是什么？

❹ 你认为老袁的愿望能否实现？为什么？

---

1 巡视：make (be on) an inspection tour; tour
2 忧心忡忡：be anxiety-ridden; be haunted by anxiety

中国的独生子女

20世纪70年代末，中国政府为缓解巨大的人口压力，在城市实施"一对夫妇只生一个孩子"的计划生育政策[1]。第一代的独生子女目前约25岁左右。这些20年前的"小皇帝"及"小公主"，如今成了"新新人类"及"网游族"。

独生子女在成长中表现得过于自我，追求享受，害怕吃苦，外界因此称他们为"小皇帝"。这些现代意识强烈的中国第一代独生子女如今已到谈婚论嫁的时候，他们正用自己的方式让中国传统的婚恋观念和家庭模式发生变化。他们中的很多人也因为经济、健康、工作等因素选择只生一个孩子，结果两个独生子女要照顾四个老人和一个子女，这种"4-2-1"的倒三角家庭模式便会成为今后社会的主流。

独生子女缺乏与兄弟姊妹相处的机会，他们在缺乏角色扮演，缺乏挫折教育的环境中长大，加上父母过度溺爱[2]，造就了非常自我的性格。他们任性，缺乏责任心，习惯于被别人照顾，追求高消费。他们孤独，缺乏社会适应能力，形成了任性、依赖他人等性格特征。此外，独生子女还背负着长辈寄予的沉重期望，他们的心理压力非常大，长大后经济和心理上的负担也很沉重。

独生子女究竟应该怎样面对人生的困难，怎样独立处理生活中的难题？这些问题都值得我们认真思考。

（根据《凤凰网》2005年05月30日"中国独生子女报告"改编：http://www.phoenixtv.com/phoenixtv/76586486727704576/20050530/558368.shtml）

思考题：

❶ 中国政府为什么实行"计划生育政策"？

❷ 你怎样理解文中的"新新人类"和"网游族"？

❸ 人们为什么称这些独生子女为"小皇帝"？

---

1 计划生育政策：One-child Policy
2 溺爱：spoil (a child); dote on (a child)

❹ 请解释一下什么是"4－2－1"的家庭模式。

❺ 独生子女为什么表现得非常自我？

阅读六

澳门

　　澳门是一个独特的城市。历史上，澳门是广东的一个小渔村。澳门的葡萄牙[1]文名称来自妈阁庙[2]。16世纪中叶，第一批葡萄牙人到澳门时，询问居民当地的名称，居民误以为指庙宇，回答说"妈阁"。葡萄牙人便按照它的发音翻译成"MACAU"，成为澳门葡萄牙文名称的由来。

　　妈阁庙建于明朝成化年间，至今差不多五百余年，庙内供奉着中国渔民非常景仰的天后，又名娘妈。据说娘妈原名默娘，是福建湄州人，能预知吉凶。传说在一个天气晴朗、风平浪静的日子里，一艘渔船在海上航行。突然间海上起了狂风雷暴，正当渔民处于危急关头时，忽然出现了一位少女。她下令风暴停止，风竟然停了，大海也恢复了平静，渔船平安地到达了海镜港。上岸后，少女朝妈阁山走去，忽然一轮光环照耀，少女化做一缕青烟。其后，人们在她登岸的地方，建了一座庙宇供奉这位娘妈。

　　澳门特殊的历史背景和东西文化在四百年间相互影响与文流，为澳门留下了许多历史文化遗产。自1999年回归后，澳门成为中华人民共和国的一个特别行政区，依据澳门基本法实行高度自治，澳门的社会和经济方面的特色得以保留并延续，成了一个非常独特的城市。

　　（根据"澳门特别行政区政府旅游局"网站《认识澳门》改编：http://www.macautourism.gov.mo/gb/info/info.php）

---

1 葡萄牙：Portugal
2 妈阁庙：Templo de A-Má

思考题：

❶ 葡萄牙人为什么把澳门翻译成"MACAU"？

❷ 妈阁庙是什么时候建成的？历史有多长？

❸ 妈阁庙供奉的是谁？人们为什么要供奉她？

❹ 澳门与中国大陆其他城市比，文化上有什么特点？

阅读七

植树节

　　世界上最早的植树节是美国内布拉斯加[1]州制定的。美国内布拉斯加州树木很少，土地干旱，风沙很大。为了改善这种恶劣的自然环境，莫顿先生在1872年4月10日倡议全民植树100万棵。以后每年的这一天，这个州的公民都义务植树。

　　中国也是开展植树节较早的国家之一。1915年，当时的中华民国政府规定，每年清明为植树节。新中国成立后，国务院[2]于1979年正式决定3月12日为中国的植树节。第二年3月12日，邮电部发行了一套4枚题为"植树造林，绿化祖国"的邮票。

　　森林覆盖着地球表面约3,900万平方公里的面积。如果没有树这一类的植物，地球上就不会有生命。树经过光合作用[3]从空气中吸收二氧化碳[4]，放出氧气，因而能使大气保持平衡。树根使土壤固定，不会被雨水冲走。树叶释放出大量水蒸气，影响和调节地球上的气候。它为千千万万生物提供食物，并提供给人们建造房屋、制造家具及造纸所用的木材。

　　现在世界上，森林面积约为40.3亿公顷[5]，占陆地总面积的32%。但由于气候及其他方面的影响，森林在世界上的分布很不均匀。中国森林面积虽然不算小，但由于地方大，人口多，无论是森林覆盖率，还是人均拥有的森林面积，与世界森林发达国家相比，都还有不少的差距。因此植树造林是一件利国利民，造福子孙的大事。

（根据中央电视台网站文章《植树节》改编：http://www.cctv.com/special/586/1/30609.html）

---

1 内布拉斯加：Nebraska
2 国务院：the State Council
3 光合作用：photosynthesis
4 二氧化碳：carbon dioxide
5 公顷：hectare (ha.)

思考题：

❶ 莫顿先生为什么倡议全民植树？

❷ 现在中国的植树节是哪一天？

❸ 树木的作用有哪些？请列举出3项。

❹ 跟世界上森林发达的国家相比，中国森林状况如何？

❺ 如果有机会，你会参加植树活动吗？你认为设立"植树节"的意义是什么？

阅读八

歌者杨一

　　杨一出生在粤[1]北山区一个名叫翁城的古镇上。小时候喜欢钻研无线电[2]。16岁时他就在家乡开起了一家电器维修店。80年代末，卖家电的生意让他赚了一大笔钱。年轻的杨一成了一个有钱人，但是他并不觉得幸福。他说："那时的我再也没有质朴的心灵，除了挣钱没有任何理想。整天迷恋庸俗的流行音乐，思想观念和生活方式都受到了影响。"无论是受到来自外界的影响，还是出自内心的矛盾，慢慢地，这样的生活对杨一来讲，变成了一种痛苦。

　　后来，杨一毫不犹豫[3]地放弃了自己拥有的一切，动身到广州求学。之后，他白天在一家设计公司工作，晚上便在酒吧里演唱一些流行歌曲，得到的是酒客们的掌声和狂呼乱叫。但是这种生活还是没有留住杨一的脚步，广州也没什么可留恋的了。

　　1992年10月，23岁的杨一只身一人，背着一把红棉吉他，坐上了开往北京的列车。

　　在北京美术馆门前，他开始了自己的弹唱生涯。最初，一些人只是围在他

---

1 粤：another name for Guangdong Province
2 无线电：radio; wireless
3 毫不犹豫：without the least (slightest) hesitation; have no hesitation whatsoever

身边凑热闹，后来他的听众越来越多，人们常常是不由自主地沉浸[1]在他独特迷人的歌声中。杨一以北京为中心，到全国各地游走卖唱，在社会这所大学里，他不仅学到了质朴而美妙的音乐，更学到了如何在歌唱中接近普通老百姓的内心。

　　有人问杨一："我们会一直看到你在街头唱歌吗？"杨一回答："我会唱到一头白发。"

（根据杨一""《内部参考2004》——跟着杨一往西"改编）

思考题：

❶ 杨一小时候有什么爱好？十几岁的时候做什么工作？

❷ 他为什么离开家乡？

❸ 杨一在广州做过哪些工作？他对这种生活满意吗？

❹ 他最后选择了什么样的生活方式？文章怎样评价现在的杨一？

阅读九

客家人的中秋节

　　中秋团圆吃月饼，是中国人自元朝[2]之后的一种习俗，客家人的中秋节和其他民族并无太大差别，只是在经济条件较差的时期，客家人用番薯[3]、芋头[4]当馅，做成类似平沙饼的月光饼。

　　关于月饼的起源，在民间有一个传说。相传在元朝末年时，掌权的蒙古人怕汉人造反[5]，不准民间私藏武器，规定十家合用一把菜刀，十户供养一名兵丁[6]，汉人想起来反抗，却不知用什么办法传递消息。后来，人们想出了一个计策，把起义的时间写在一张纸条上，上面写：八月十五杀元兵，家家户户齐

---

1 沉浸：immerce; steep
2 元朝：the Yuan Dynasty (1271-1368)
3 番薯：sweet potato; koali
4 芋头：taro; dasheen
5 造反：rise in rebellion; rebel; revolt
6 兵丁：soldier

动手。对外却说是今年要有冬瘟[1]，除非家家户户都在中秋节买月饼来吃，否则不能免除灾难。于是民众纷纷购买月饼来吃，回到家中，掰开月饼，才发现里面藏着一张纸条，于是老百姓们起来反抗统治者，中秋吃月饼的习俗就这样流传下来了。

客家人除了拜月亮之外，也会在八月十五日这天到庙里为太阴[2]娘娘祝寿，还有中午办酒席宴请祝寿的信徒[3]等活动。

（根据《桃园客家》网站文章《月饼的历史记录》改编：http://www.tyccc.gov.tw/tyccc1/hakka5/14.htm）

思考题：

❶ 中国人从什么时候开始中秋节吃月饼？

❷ 相传汉人起义抗元，是怎样传递消息的？

❸ 元朝末年的中秋人们为什么要买月饼吃？

❹ 客家人过中秋节有哪些活动？

阅读十

北京的胡同[4]

北京的胡同最早起源于元代，最多的时候有6,000多条。历史上最早的胡同是朝阳门内大街和东四之间的一片胡同，规划相当整齐，胡同与胡同之间的距离差不多相同。南北走向的一般为街，相对较宽，比如从北京火车站到朝阳门内大街的南小街和北小街，因为过去以走马车为主，所以也叫马路。东西走向的一般为胡同，相对较窄，以走人为主，胡同两边一般都是四合院[5]。

1 瘟：acute communicable disease
2 太阴：lunar calendar; lunar ephemeris
3 信徒：believer; disciple; follower; adherent; devotee; votary
4 胡同：alleyway; lane
5 四合院：courtyard/quadrangle dwelling (traditional residential compound in north China)

从地理位置上划分，前门以北的胡同一般较宽，规划比较整齐，前门以南的胡同一般较窄，规划也不整齐。因为在清代时，清政府为了安全，不允许外地来京人员住在京城内，所以外地人集中住在前门和崇文门外，也因此形成了前门商业区；外来人员中，许多人是来京赶考[1]的举人[2]，因此形成了琉璃厂文化街，天桥地区有许多娱乐场所，北京的剧院也都集中在南城。北京城内老百姓集中活动的场所在什刹海一带。

因为北京的胡同不集中，一般也不通车，所以游览起来比较累。不过在有些胡同附近，有专门游览用的小三轮车，车主们拉着游客去逛胡同，边走边介绍胡同里曾经发生过的有趣的故事。"钱市胡同"是北京最窄的胡同，位于前门外珠宝市大街。过去这条胡同里都是钱庄，所以叫"钱市胡同"。胡同中最窄的地方只有80公分宽，两个人相遇时只能侧着身子才能走过去，胡同的长度大约为三四十米。

（根据《江山多娇》网站文章《北京的胡同》改编：http://www.jsdj.com/luyou/lyzy/hutong.htm）

思考题：

❶ "街"和"胡同"有什么不同？

❷ 北京前门一带，为什么会形成商业区？

❸ "钱市胡同"的名称是怎么来的？

❹ 北京胡同窄，一般不通车，请你列出3种游览北京胡同的方式。

---

1 赶考：go and take an imperial examination
2 举人：a successful candidate in the imperial examinations at the provincial level in the Ming and Qing Dynasties

阅读十一

过春节还有意义吗?

　　曾经有一种说法:"中国人生活节奏加快,生活水平提高,人们好像天天在过年,多数人认为过春节已失去了意义。"

　　为了了解人们的想法和过春节的方式,几家媒体和调查公司合作在三十个城市开展了抽样调查。

　　调查显示:81%的人认为春节是中华民族的传统节日,要代代相传。认同春节假期有利于亲情交融、构建和谐社会的人高达79%。但是,过春节时人们关注的内容也随着时代发生了变化,如果说过去过春节人们更多关注的是鸡鸭鱼肉和新衣服,今天人们对食物的关注大大降低,而把人际交往和增进感情排在了第一位,达到33.6%。

　　同时,春节的地位、意义及春节的过法在中老年(46-55岁及以上)、青壮年(26-45岁)和青少年(16-25岁)这三个不同年龄段人群中有着不同的理解,对春节的观念也正在发生变化。中老年人仍然坚持着春节的传统过法,青壮年则讲求春节的实惠,崇尚新潮的青少年中有16%的人认为:"社会节奏加快,春节的很多习俗已经不符合这个时代",他们把很多流行的东西融入了传统的春节之中。比如网上拜年、手机拜年,已经成了春节新的普遍的拜年方式。

(根据《解放军日报》2005年2月7日文章《调查显示:81%的人认为春节是中华民族的传统节日》改编)

思考题:

❶ "多数人认为过春节已失去了意义"——根据调查结果,这种说法对吗?为什么?

❷ 跟过去比,现在人们过春节更重视什么?为什么会有这样变化?

❸ 青少年怎样看春节?他们有哪些新的拜年方式?

❹ 中国传统的拜年方式有哪些?

阅读十二

城市生活步伐[1]快了10%

人们常说"城市生活步伐加快了",现在科学研究证明这个说法确实有根据。研究显示,现在城市人走路的速度比十年前平均快了10%。

英国赫特福德郡[2]大学的研究人员比较了32个城市居民的走路速度。结果显示,东亚城市人的平均走路速度增加最快,在广州增加了20%,新加坡增加了30%。

研究人员在2006年8月22日,当地时间早上11时半至下午2时之间,摄录[3]35名男女在人行道上步行60英尺需要的时间,所有使用手机或拿着大量购物袋的人不包括在内。

结果显示,新加坡[4]人的步伐最快,平均只用了10.55秒。第2位是丹麦哥本哈根[5](10.82秒),第3位是西班牙马德里[6](10.89秒),第4位是中国广州(10.94秒)。

美国纽约[7]人的速度是12秒,排第8位;英国伦敦民众是12.17秒,排第12位;第19位是日本东京(12.83秒);第23位是台北(14秒)。欧洲国家中最从容不迫的是瑞士伯恩[8]的居民,他们的速度是17.37秒,排第30位。

领导这项研究的理查特·怀斯曼教授表示,人们走路越来越快,并不意味着我们越来越健康。怀斯曼说,快速走路是好的,但如果这是人们生活所需,为了赶时间而走得快,反而会有相反的效果。怀斯曼认为,城市人步伐速度如果太快,会影响身体健康。

十年前在美国加州大学的心理学教授罗伯特·莱文发现,步伐速度是衡量城市生活节奏的可靠标准。

(摘自BBC中文网,2007年5月6日)

---

1 步伐:pace, step
2 赫特神德郡:Hertfordshire
3 摄录:to photogragh and video record
4 新加坡:Singapore
5 丹麦哥本哈根:Copenhagen, Demark
6 西班牙马德里:Madrid, Spain
7 纽约:New York
8 瑞士伯恩:Bern, Switzerland

思考题：

❶ 现代城市人步伐速度比十年前快了多少？

❷ 研究显示哪个地区城市人走路速度增加最快？

❸ 亚洲的哪个城市人的步伐最快？

❹ 城市步伐加快说明了什么？

阅读十三

污染导致中国部分地区降雨量[1]减少

中国工厂废气[2]和汽车尾气[3]造成的污染，导致中国山丘[4]地带降雨量明显下降。

《科学》杂志发表的一篇文章指出，研究人员发现中国部分地区的降雨量减少了50%。文章说，尽管空气中的污染物质更容易导致乌云[5]的形成，但雨点和雪片却因大量污染物质而无法聚集，无法形成降雨或降雪[6]。

有的研究人员指出，亚洲形成的污染导致了太平洋出现强烈风暴。最近，由以色列[7]和中国科学家组成的科考队在对近50年来的气象记录做出分析研究后发现，空气污染与中国中部山丘地带降雨量减少有明显关系。

科学家发现，中国各地降雨及降雪量近50年来平均减少了20%。

耶路撒冷[8]希伯莱大学罗森菲尔德教授指出，工厂废气、汽车尾气、农业燃烧物等一些日常生活中造成的污染，是造成雨雪减少的罪魁祸首[9]。他说，当湿冷[10]空气向山顶区域[11]推进时，空气中的水汽容易形成降雨，但太多的污染物质就会阻碍雨水的形成。

---

1 降雨量：rainfall
2 废气：exhaust gas
3 尾气：emmission
4 山丘：mound, hillock
5 乌云：black clouds
6 降雪：to snow
7 以色列：Israel
8 耶路撒冷：Jerusalem
9 罪魁祸首：chief culprit, main cause
10 湿冷：damp and cold
11 区域：seek the root

科学家认为，污染影响降雨量这一科学论证，可能还适用于中国中部以外的地区。

（摘自BBC中文网2007年3月12日　http://news.bbc.co.uk/chinese/simp/hi/newsid_6440000/newsid_6443800/6443821.stm）

思考题：

❶ 导致中国山丘地带降雨量下降的原因是什么？

❷ 空气污染与降雨量有什么关系？

❸ 亚洲的污染导致了什么？

❹ 造成雨雪减少的主要污染有哪些？

阅读十四

寻根[1]热

近年来，中国不少地方出现姓氏寻根热潮。据不完全统计，至今已有100多种不同姓氏的人们来大陆寻根拜祖，他们的足迹遍及中国大部分地区，姓氏涉及所有的大姓。

据姓氏民俗研究专家介绍，早在上个世纪70年代末，世界各地特别是东南亚一带，以及台湾、香港地区的华人姓氏宗亲组织纷纷组团回祖国寻根拜祖。他们寻根时通常是以世代承袭下来的姓氏为徽记[2]，以祖传的家谱[3]、图片等资料为依据。

最初，海外华人华侨寻根的目的地是东南沿海地区，以后又逐渐深入到内地的一些省份。目前的姓氏寻根活动涉及的地区有福建、广东、河南、陕西、山西、山东、甘肃、北京等20多个省市的数百个市县乡镇。在这些姓氏中，杨姓是最为突出的姓氏之一。

---

1 寻根：seek the root
2 徽记：emblem, logo, sign
3 家谱：family tree, pedigree

客家人素有爱国爱乡、敬祖敬宗的传统美德。自改革开放以来，在海外掀起了一股"客家寻根"热潮。福建的宁化石壁是客家祖地之一，也是许多台湾客家人的祖地。为进一步增加相互了解，十多年来，宁化县客家联谊会和客家研究会举办了多次客家文化研讨会，许多台湾有关专家学者踊跃来宁化参加研讨，使宁化石壁与台湾客家的关系更加密切。许多台湾客家人回宁化石壁祭祖后，都要包一怀祖地的泥土回台湾供奉[1]，以表不忘祖宗。

（根据新华网2006年资料改编：www.xinhuanet.com/overseas/zgzc.htm）

思考题：

❶ 寻根拜祖一般是以什么为依据进行的？

❷ 你认为寻根拜祖会对海峡两岸关系有什么样的影响？

❸ 请谈谈寻根拜祖有什么意义？

阅读十五

全球变暖的惊人后果

近日，有美国科技媒体排出了全球变暖导致的十大惊人后果，下面是其中的四大后果。

1．更多森林[2]大火

科学家发现，气温升高、冰雪提早融化都跟野火[3]肆虐[4]有关系。由于冰雪提早融化，森林地带变得更干燥，而且干燥时间变长，增加了起火的可能性。

2．毁掉[5]文明古迹[6]

海平面上升以及更坏的天气都有可能破坏这些不能替代的历史古迹。目

---

1 供奉：oblation, sacrifice
2 森林：forest
3 野火：wild fire, bush fire
4 肆虐：uncontrollable
5 毁掉：destory
6 古迹：historic site

前，全球变暖导致的洪涝灾害[1]已经破坏了有600年历史的泰国[2]古代王朝的首都。

3．冻土解冻[3]使地表[4]不平

全球变暖使得永久冻土层解冻，导致地表收缩[5]，变得不平，从而产生一些地坑[6]，对铁路、高速公路和房屋等造成破坏。

4．湖泊[7]消失

在过去的几十年中，北极周边地区有125个湖泊消失。科学家经过研究发现，这些湖泊消失的原因可能是由于湖底解冻。

（摘自中山科普网：www.zskp.org.cn/Article/Class14/Class16/Class43/200706/1852.html，程绍春，全球变暖10大惊人后果）

思考题：

❶ 为什么说气候变暖增加了森林起火的可能性？

❷ 是什么有可能使无可替代的历史古迹遭到破坏？

❸ 冻土解冻为什么会使地表不平？

❹ 科学家发现湖泊消失的原因可能是什么？

1 洪涝灾害：flooding
2 泰国：Thailand
3 冻土解冻：the thawing of frozen land
4 地表：the earth's surface
5 收缩：shrink
6 坑：hole
7 湖泊：lakes

Part Two: Translation

1 Mark Schemes (10 marks 10%)

The students will be required to translate a related passage from English into the target Chinese. The translation into Chinese will be marked positively for transfer of meaning, accuracy of transmission and the quality of language used, using the grid below.

Mark	Transfer of meaning and quality of language
9-10	Excellent transfer of meaning showing awareness of nuance and idiom. Excellent range of structure appropriately used. High level of accuracy.
7-8	Very good transfer of meaning skills with some awareness of nuance and idiom. Very accurate with only a few minor errors in grammar and structure. Appropriate choice of lexis.
5-6	Competent transfer of meaning but with some errors of transmission. Mostly accurate but sometimes lacks flow with errors in grammar, structure and lexis.
3-4	Satisfactory transfer of meaning but with evidence of misunderstanding and/or detail glossed over. Intrusive errors in grammar, structure and lexis. Communication is sometimes achieved, but with little fluency although occasionally uses apt vocabulary.

| 1-2 | Very limited transfer of meaning with little rewardable language. Occasional communication. Major errors in grammar, |
| 0 | No rewardable language. |

② Examination Techniques

▶ When doing translation exercises, you may want to read through the article first so that you can get a rough idea of what the article is about as well as its writing style. Please pay attention to the word order when you start to translate. It is very often that the word order in Chinese is different from that in English. For instance, generally speaking, phrases indicating time and place usually are put in the end of a sentence in English, but in Chinese, phrases indicating time are either at the beginning of a sentence or between the subject and predicate. Phrases indicating place in Chinese usually precede verbs.

▶ Second, you should pay attention to some relatively fixed phrases, for example, phrases like "as soon as…", "not only…but also…". When you do translation exercises, try to memorise some phrases of this kind.

▶ Third, you need to think about the coherence and fluency of a sentence when you translate. In a sense, translating is a process of re-creating the article. We should not only be cautious about the correctness of our translation, but also beware of the smoothness of our work. A good translation work is usually not word-to-word. When necessary, we have to add or delete a few words to make our translation work sound natural in the target language.

▶ Fourth, when you cannot think of how to translate a sentence, it is a good idea to think of the meaning in English first, then to translate it into simple Chinese. By doing so, you can avoid leaving gaps, which is not recommended.

▶ To summarise, when doing translation exercises, we should pay attention to the following aspects:

❶ Read through the article first to get a rough understanding ⇨ ❷ Pay attention to word orders

❸ Try to memorise some relatively fixed phrases

❹ Consider the fluency and smoothness of our translation

❺ Try not to leave gaps.

Exercises

翻译一

Tea

Tea is a common drink in Chinese people's daily life. It is also an important aspect of Chinese culture. In China, the host offers tea to a guest as soon as he/she arrives. This is the Chinese way of showing courtesy[1]. Many Chinese people have the habit[2] of drinking tea, so tea is very important in the life of the Chinese people. In recent years, more and more people in other countries have started drinking tea as well. Chinese tea has been exported to many places all over the world.

According to scientific[3] research, over 320 kinds of chemical elements[4] are contained in tealeaves, including many trace elements[5], which are easily absorbed[6] by the body. Tealeaves do not have any serious side effects[7]. Drinking tea can help prevent kidney[8] disease.

茶

茶是中国人生活中不可或缺的一种饮料，也是中国文化中重要的一部分。在中国，客人一进屋，主人就端上一杯茶。这是中国人表示礼貌的方式。不少中国人平时就有喝茶的习惯。可见，茶在中国人的生活中是很重要的。近年来，越来越多其他国家的人们也开始喝茶了。中国茶叶出口到世界上的许多地方。

根据科学研究，茶叶中含有320多种化学成分，其中的多种微量元素都是人体很容易吸收的。茶叶没有什么副作用。喝茶可以帮助预防肾病。

---

1 courtesy: 礼貌
2 habit: 习惯
3 scientific: 科学
4 chemical element: 化学成分
5 trace element: 微量元素
6 absorb: 吸收
7 side effect: 副作用
8 kidney: 肾

翻译二

Pandas

Maybe many of you have seen pandas in the zoo. The panda is China's national treasure. The panda is indigenous[1] to Sichuan and Shannxi Province and does not live in the wild in any other places. It is estimated that only a few hundred pandas remain, with a small number of them being raised in zoos in China and abroad. Because of their rarity[2], pandas have become a treasure[3] of the world. When the World Wildlife Fund[4] was founded in 1961, it took the panda as its symbol.

Pandas are very clever. The Fuzhou Zoo in China's Fujian Province has done more than its counterparts in training the pandas. There pandas have been trained there to perform[5] a dozen items[6]. A seven-year-old panda Qingqing can even recognise its name.

大熊猫

　　大概你们当中很多人都在动物园里见过大熊猫。大熊猫是中国的国宝，产于中国的四川省和陕西省。世界上别的地方已经没有野生的大熊猫了。据估计，全世界仅存大熊猫一千多只，其中很少的一部分在中国和其他国家的动物园中。由于稀有，大熊猫成了全世界的宝贝。1961年，世界野生动物基金会成立时，就把大熊猫作为自己的标志。

　　大熊猫是一种很聪明的动物。在驯化大熊猫的活动中，福建省的福州动物园走在了前面。他们训练大熊猫会表演十多个节目。有一只名叫青青的大熊猫还能够认识自己的名字。

翻译三

Reading Good Books

Are you in the habit of reading? What kind of books do you like to read? Let's cultivate[7] the habit of reading good books in our free time.

读好书

　　你有读书的习惯吗？你喜欢读什么样的书呢？用一些空闲时间来培养阅读好书的习惯吧。

---

1 indigenous: 土著
2 rarity: 稀罕，稀有
3 treasure: 财富，宝贝
4 the World Wildlife Fund: 世界野生动物基金会
5 perform: 表演
6 item: 节目，项目
7 cultivate: 培养

Many famous people and successful people have the habit of reading good books. Those who truly love reading are really lucky, because they have certain advantages over non-readers. As long as they have a book in hand, they will never feel lonely. The better the book, the more delightful a companion it is. Besides, a good book can enlighten in addition to being pleasurable. It gives food for thought, something they cannot always get from other companions. You can read when you are on a train. You can read before going to sleep. Even when resting, one can pick up a book to read.

很多名人和成功人士都有读书的习惯。那些真正热爱读书的人实在是幸福的，因为热爱读书的人比起别人来是有优势的。他们只要身边有书，就不会寂寞。书越好，与书做伴就越快活。而且，他们从好书中得到的，除了乐趣，还有许多教益。他们得到的这种精神食粮是别的什么伙伴都不能提供的。你可以在火车上读书，也可以在睡前读书。甚至在休息的时候，也可以拿起一本书来读。

翻译四

Learning Chinese

Chinese has the largest number of native speakers in the world, and is the second only to English as the most spoken language. It means that if you are able to speak Chinese in addition to English, you can talk with the majority of people in their mother tongue throughout the world.

Mandarin Chinese is the official language in China. There are eight major dialects including Cantonese. But these dialects all share the same written form. Chinese is a tonal language. There are four tones and a neutral tone in Mandarin Chinese.

Nowadays, there are more and more people going to China to learn Chinese, and many universities in the UK are offering Chinese programmes too. You should feel proud of yourself if you are able to speak and write Chinese.

学中文

中文拥有世界上最多的母语使用者，也是仅次于英文使用最广的语言。这意味着，如果你既能说英文，又能说中文，那么你就可以和世界上绝大多数的人用他们的母语交流。

普通话是中国的官方语言。包括粤语，中国共有八大方言。这些方言的书写方式是相同的。中文是有声调的语言。普通话有四个声调以及轻声。

现在，越来越多的人去中国学习中文，而且，英国的很多大学也开设了中文课。如果你能说中文，写中文，应该感到骄傲。

翻译五

Politeness

It is not enough to study the language of a foreign country. What one has to learn is more than the language. If you pay attention to your foreign friends, you may be surprised that their customs and habits are different from yours. Politeness is a very important aspect.

In some countries, it is polite to shake hands when you first meet some one. In other countries, you are supposed to give a hug and maybe a kiss. In regards to table manners, it is polite to finish your food according to some cultures, but if you apply the same rule in other countries, you will have real difficulty finishing all the food as the host will keep serving you more food to show his politeness!

In order to be a good cross-cultural communicator[1], you have to learn the customs and habits of the counterpart country, not only just the language.

礼貌

　　仅仅学习一个国家的语言是不够的，人还需要学语言以外的东西。如果你注意你的外国朋友，他们的风俗习惯会使你大吃一惊，他们的风俗习惯竟和你的大不相同。礼貌就是很重要的一个方面。

　　在有些国家，与人第一次见面握手是礼貌的。在另一些国家，你应该拥抱或者亲吻。关于餐桌礼仪，根据某些文化，吃完自己的食物是礼貌的，但是，如果你在某些国家也这么做，就会发现很难吃光所有的食物，因为主人会不停给你添加食物，以表达他的礼貌。

　　为了成为好的跨文化交际者，你不光要学习对方国家的语言，还要学习他们的风俗和习惯。

翻译六

Protecting Our Environment

The world is paying more and more attention to environmental issues while the economy is developing fast. There are many organisations and individuals working to promote people's awareness of the environment. This is something that needs every one's efforts.

保护我们的环境

　　在经济快速发展的同时，全世界也越来越重视环境问题。有很多组织和个人为了加强人们的环境意识在工作着。这是需要每个人都付出努力的事情。

---

1 communicator: 交际者

We could start from seemingly unimportant small things. Remember to switch off the light when you are out. Categorise the waste. Use your own bag next time you shop at the supermarket. If you can, do not drive but walk. Remind people if you see them leave the tap water running. There are so many things we can do to protect the earth, our home.

Every one likes the blue sky, clean water and greenbelt. Let us start to do something for the environment from today.

我们可以从看似不重要的小事情做起。记得出门时关灯。把垃圾分类。下次去超市购物的时候用自己的袋子。如果可以，不要开车，而是步行。如果你看见别人忘记关水龙头，提醒他们。我们可以做许多事来保护地球——我们的家。

每个人都喜欢蓝天、碧水和绿地。让我们从今天开始做一些事情来保护环境。

翻译七

Ethnic Groups[1] in China

You may know that there are many ethnic groups in China, amongst which, Han[2] is the biggest one. The Han Chinese make up almost 92% of China's population. Altogether, there are 56 recognised ethnic groups in China. Ethnic minorities[3] live together with Han people. Some ethnic minority groups have their own languages. Many have their own characters, customs, traditions and festivals. Quite a lot of ethnic minority people are good at singing and dancing. Their cultures form an important part of Chinese culture.

Many ethnic minorities get married to Han people. Sometimes, it is difficult to tell from the appearance whether some one is from an ethnic minority group. People from different ethnic groups live together, learn from each other and help each other.

中国的民族

你也许知道，中国是个多民族国家，一共有56个民族。其中，汉族是最大的民族。汉族占中国总人口的92%左右。少数民族与汉族生活在一起。在中国的55个少数民族中，有一些少数民族有自己的语言。很多民族还有自己的文字、风俗、传统和节日。很多少数民族擅长歌舞。他们的文化是中华文化的重要组成部分。

许多少数民族与汉族人结婚。有时，只从外表看，很难分出某个人是不是少数民族。不同民族的人在一起生活，互相学习，互相帮助。

---

1 ethnic group: 民族
2 Han: 汉
3 ethnic minorities: 少数民族

翻译八

Flower Fair at Spring Festival Time

It is the Chinese tradition[1] to welcome spring with flowers. China is a huge country. The temperature in different places could vary greatly at the same time of a year. North China is cold in spring, so flowers don't bloom[2] outdoors. People there decorate[3] their homes with potted flowers to add to the festival atmosphere. Country girls like to cut red paper into peach and plum blossoms and paste them onto doors and windows. In the south of China, the situation is different. With a warm and wet climate, Guangzhou has fresh flowers all year round. The origin of flower fairs can be traced back 500 years. From then on, flower fairs were held in Guangzhou during the Spring Festival every year. There is an old saying there, "No flower fairs, no Spring Festival".

春节期间的花市

用鲜花来迎接春天是中国的传统。中国是个非常大的国家。一年的同一个时候，不同的地方，气温可能相差很大。春天，中国的北方气候寒冷，室外不开花。人们用盆栽花装点他们的家来增添节日的气氛。农村姑娘喜欢用红纸剪出桃李开花的形状，贴在门窗上。在中国的南方，情况就不同了。广州气候温暖潮湿，一年四季都有新鲜花卉。花市的起源可以追溯到500年前。从那时起，每年春节，广州都有花市。那里有句老话："没有花市，就不叫春节。"

翻译九

Time

Time is fair to every one in the world. But the way people treat time is different. Some people cherish time a lot. They seem to have more time than other people because they can always manage to complete more tasks than others within the same amount of time. Others always think that there is still a lot of time, so there is no need to rush. There is always a "tomorrow" ahead. The attitude towards time, to some extent, decides what you can achieve.

时间

时间对世界上的每个人都是公平的。但是，人们对待时间的方式是不同的。一些人非常珍惜时间。他们似乎比别人时间多，因为他们总是可以在相同的时间内完成更多的任务。另外一些人总认为还有很多时间，所以不用着急。前面总有一个"明天"。对于时间的态度，一定程度上决定了你可以取得什么成就。

---

1 traditon: 传统
2 bloom: 开花
3 decorate: 装饰

Time is an interesting topic that has been discussed by many philosophers, physical scientists and many other scholars. Many successful people have also written down their interpretations and understandings of time. Take a moment, and think how you want to spend your time.

时间是一个有趣的题目，很多哲学家、物理学家和其他学者都讨论过时间。许多成功人士也写过他们对时间的阐释和理解。花点工夫，想想你要如何利用时间。

翻译十

Teahouse in Sichuan[1] Province

When I was in Chengdu[2], I saw teahouses everywhere on the streets. There is a saying, "China has the best teahouses in the world and Chengdu has the best teahouses in China." It really has a well-deserved reputation, not only because of the numerous teahouses, but also because the special way of serving and drinking tea. As soon as the guests enter the teahouse, the waiters or waitresses greet them with a smile on their faces and with teapots and cups in their hands. After the guests have sat down they set the cups on the table and pour the water from behind the guests or from above their heads. When the cups are almost full, the waiters or waitresses raise their hands high suddenly, but not a drop of water is spilled[3].

四川省的茶社

我在成都的时候，在街上随处可见茶社。有句老话说："世界上最好的茶社在中国，而中国最好的茶社在成都。"这个好名声的得来不仅因为茶社的数量多，还因为倒茶和品茶的特殊方式。客人一走进茶社，服务员就会面带微笑地迎接，手里还拿着茶壶和茶杯。客人落座之后，他们把茶杯放在桌上，从客人身后或头上倒水。茶杯快满的时候，服务员一下子把手抬高，一滴茶都不会溅出来。

翻译十一

The Roof of the World[4]

Tibet[5] is in the south west part of China. Most of Tibet is a plateau[6] averaging 4,000

世界屋脊

西藏在中国的西南部。西藏大部分地区是高原，它的平均高度为

1　Sichuan: 四川
2　Chengdu: 成都
3　to spill: 溅，洒
4　The Roof of the world: 世界屋脊
5　Tibet: 西藏
6　plateau: 高原

metres above sea level[1], the highest plateau in the world. So Tibet is referred to as the Roof of the World.

The climate[2] in most of Tibet is very cold and extremely windy. In some areas, only grass grows and there are almost no trees. Although Tibet is very dry with scant rainfall, many major rivers in Asia originate[3] there.

About 1300 years ago, a princess of the Tang Dynasty came to Tibet to get married. The trip had taken her three years. Nowadays, a railway has been built. It is much easier to travel to Tibet. You can immerse yourself in the brilliant culture and natural scenery in Tibet.

海拔4,000米, 是世界上最高的高原, 所以西藏被称为世界屋脊。

西藏大部分地区气候非常寒冷, 风很大, 有的地区只能长草, 几乎没有树木。西藏大部分地区降水很少, 气候十分干燥, 但它却是亚洲许多著名大河的发源地。

大概一千三百年前, 唐朝的一位公主去西藏结婚。路上花了她三年时间。现在, (青藏)铁路已经建成, 去西藏旅游容易多了。在西藏, 你可以沉浸在绚丽的文化和自然风景中。

翻译十二

Dragon Dance in the Hometown of the Dragon

Dragon is deeply rooted in Chinese culture. Many Chinese people consider themselves as descendents of the dragon. Tongliang[4] County[5] in chonging can be called the hometown of the dragon. The dragon lanterns made in Tongliang County are known far and wide. There is a custom of doing dragon lantern dances during the Lantern Festival (15th of the first lunar month). When it gets dark various dragon dances are done on the streets with colourful lights hanging from above. They look like dragons roaming[6] in river of light. The dragon with red candlelights in each section is called a fire dragon and the one made of multi-coloured cloth is called a colourful dragon.

龙的家乡的舞龙

龙深深植根于中国文化中。许多中国人认为自己是龙的传人。重庆市的铜梁县可以被称作龙的家乡。那里制作的龙灯远近闻名。在每年的灯节（农历正月十五）期间, 有舞龙灯的传统。天黑以后, 各种各样的舞龙队出现在张灯节彩的街上, 人们手中的龙好像在灯光的河流中游动。其中带红烛的龙被称作火龙, 而用多种颜色的布制成的龙被称作彩龙。舞龙达到高潮的

---

1 above sea level: 海拔
2 climate: 气候
3 to originate: 起源
4 Tongliang: 同良
5 county: 县
6 to roam: 游

When the dragon dance was at its peak[1], people threw firecrackers and fireworks at the dragon lanterns. So the activity ended in an atmosphere of excitement.

时候，人们放鞭炮和焰火，活动在欢腾的气氛中结束。

翻译十三

The Pursuit of Ideals

Almost every one has ideals and dreams. When I was little, I had many dreams. I had been thinking of becoming a lawyer, a doctor, a teacher, and an actor…My sister, who is three years older than me, used to laugh at me. She said she'd never thought of what she would be doing in the future. The only thing she dreamed of every day is to become a pretty woman like Auntie Jane, who has various types of jewellery.

Now, I am a scientist, and my sister is a writer who does have many types of jewellery. We still have dreams. I want to have a bigger house, and she wants to have one more child. The difference is that we are much clearer with what we want now, and we will work hard to achieve the goals.

追逐理想

　　几乎每个人都有理想和梦。我小时候有许多梦想。我曾经想过当个律师，医生，老师，演员……比我大三岁的姐姐那时候总是笑我。她说，她从来没想过以后做什么。她每天梦想的唯一一件事情就是成为像珍妮阿姨一样美丽的女人，有各种各样的珠宝。

　　现在，我是一个科学家，而我姐姐是个作家，她真的拥有许多珠宝。我们仍然有梦想。我想要一座大一点儿的房子，而她想再要一个孩子。不同的是我们现在更清楚我们想要什么，并且为了实现目标而努力工作。

翻译十四

Girls and Sports

In ancient times, most girls in many countries were kept at home to do housework. They were denied the chances of taking part of social and various sports activities. This is why many of them were in poor health.

女孩子与体育

　　以前，有很多国家的不少女孩子总是被关在家里，学做一些家务。她们没有机会参加社会活动和各种体育运动，因此，身体也就比

---

1 at its peak: 高潮

In contemporary China, the situation has been changed. Nowadays, girls have equal rights with boys. They are not kept at home any more. They go to schools, take part in social activities, and make friends. Many girls actually do even better than boys in schools.

Now with the development of culture and increase of knowledge, everybody knows the value of sports, so all the schools are trying hard to promote physical training. Girls can take part in sports activities too. In the Olympic Games, there are as many sports activities for girls as for boys.

较弱。现在情况有很大改变。例如在当代中国，女孩子享有与男孩子同等的权利。她们早就不再被关在家里。她们上学，参加社会活动，交朋友。实际上许多女孩在学校里比男孩子还要出色。

现在，随着社会的发展和知识的增加，大家都知道了运动的价值。因此，所有的学校都在尽力促进体育锻炼。女孩子可以参加适合她们的各种体育活动了。在奥林匹克运动会上，女子的项目与男子一样多。

翻译十五

A Small World

With the development of high technology, the world is becoming "smaller".

In the old times, it was almost impossible to imagine that you could talk with some one in another country. People then used letters to exchange information. Pigeons[1] and horses were used to deliver letters. It would take several days to deliver a letter to another province, not mentioning a different country. The telephone was invented by Mr. Bell in the late 19th century. In 1878, Bell set up his own telephone company. The invention of telephone was a very important event in the history of modern technology.

With the invention of computers and Internet, the world has become even "smaller". You

小世界

随着高科技的发展，世界在变小。

从前，与另一个国家的人说话几乎是不可想像的。人们用书信交换信息。鸽子和马曾被用来传递信件。把信传递到另一个省就需要几天的时间，更不要说到另一个国家了。19世纪末，贝尔先生发明了电话。1878年，贝尔建立了自己的电话公司。电话的发明在现代科技史上是非常重要的事件。

有了电脑和网络以后，世界变得更小了。你现在可以在网上与世

---

1 pigeon: 鸽子

can now meet on line friends who are at the other end of the world. With emails, we do not have to wait for a long time to exchange information.

界另一端的朋友谈话。有了电子邮件，我们传递信息不再需要等那么长时间了。

Reference

China daily, Sohu, Chinawindow. A Series of Short Chinese Readings.

Part Three: Writing

① **Mark Schemes (60 marks 30%)**

Students will be required to produce an extended piece of target-language writing directly related to one of the prescribed essay topic areas. It must be approximately 500-1000 characters in length. (Assessment is qualitative rather than quantitive and no essay should exceed 1000 characters.) Students are expected to undertake extensive research and individual study prior to producing their extended essay which must demonstrate the following:

• knowledge and understanding of the culture and/or society of Chinese language countries or communities
• an ability to write effectively in Chinese organisation and development of ideas on the chosen topic
• personal evaluation and opinions.

Students must also provide references for sources used in their research on this sheet and provide an appropriate and individual essay title.
During their research phase, students may refer to a variety of resources including textbooks, reference books, the internet, audio-visual media etc. More information and guidance is given in the GCE Chinese Research-based Essay Guide (accessed via the Edexcel website — www. edexcel.org.uk).
Students will be assessed for: knowledge and understanding, organisation and development of material and quality of language including grammar and structures as detailed in this

specification.

Answers which are totally irrelevant or can be given no credit for content will be awarded no marks for either content or language.

In terms of the content, the following qualities will be rewarded:

- knowledge and understanding of the topic
- grasp of the implications and scope of the topic
- relevance, clarity of thought and expression, ability to analyse
- ability to use evidence and source material
- independent judgement/originality
- imaginative personal response to the source material, where appropriate

Mark	Knowledge and understanding
23-25	Very good k/u*. Fully relevant. Shows ability to analyse in depth and convincing use of evidence and source material. Very good independent judgement.
20-22	Good k/u. Shows ability to analyse. Evidence well selected and source materials mostly relevant and used intelligently. Good degree of independent judgement, but may have some minor lapses and lack of clarity.
17-19	Adequate k/u. Analysis and use of evidence and source material present but inconsistent. Minor digressions. Beginnings of independent judgement.
14-16	Satisfactory k/u. Modest ability to analyse and to use evidence and source material. Attempts to evaluate but treatment often too factual. Some digressions and lack of clarity.
11-13	Moderate k/u but some omissions. Shows some ability to analyse and to use evidence and source material, but often digressive and/or muddled. Approach to subject mostly descriptive or narrative.
8-10	Limited k/u. A limited amount of relevant material presented, showing little ability to analyse and to use evidence and source material.
5-7	Very limited k/u. A very small amount of relevant material presented but often confused. Use of evidence and source material unconvincing.
1-4	Minimal k/u. Hardly any relevant material presented. Almost no ability to use evidence and source material.
0	Material presented completely irrelevant to title and subject.

*k/u = knowledge and understanding

Regarding the organisation and development of the material, the following qualities will be rewarded:

- planning, organisation and control of material
- logical and effective sequencing of material
- ability to develop argument and ideas.

Mark	Organisation and development of material
27-30	Excellent o/d*. Material very effectively marshalled and developed within a carefully planned framework. Logical sequence of ideas. Skilfully controlled throughout.
23-26	Very good o/d. Material very well planned and sequenced with minor lapses. Good control and coherently presented argument.
18-22	Good o/d of material and effective sequencing of ideas. Generally well constructed but lacking coherence in places.
14-17	Satisfactory o/d of material. Development patchy and/or under ambitious. Evidence of argument but ideas not always effectively sequenced.
10-13	Some o/d. May be rambling and/or repetitive. Development of ideas impeded at times by lack of ability to organise material logically.
5-9	Limited o/d. Material ineffectively structured. Limited ability to draw conclusions/ to respond convincingly.
1-4	Minimal o/d. Structure almost wholly lacking in coherence; no ability to draw conclusions.
0	So ill-organised and lacking in coherence that no credit can be given.

*o/d = organisation and development

In terms of language, skills to be rewarded will include:
• ability to communicate intelligibly
• accuracy
• variety of structures
• appropriateness of language
• lexical range
• fluency

Mark	Quality of language
5	Very good communication. Language almost always fluent, varied and appropriate. Wide range of lexis and structures. High level of accuracy.
4	Good communication. Errors rarely impede comprehensibility. Language mainly accurate and appropriate. Good range of lexis and structures.
3	Satisfactory communication. Inaccurate language occasionally impedes comprehensibility. Fair range of appropriate lexis and structures.

2	Some communication achieved on a basic level but often lacks comprehensibility. Limited linguistic range.
1	Very limited communication. Language often breaks down. Very inaccurate.
0	No rewardable language.

2 Examination Techniques

In this section, you are asked to write an essay directly related to one of the prescribed essay topic areas. It must be approximately 500-1000 characters in length. There are three important steps you should follow: preparation, writing and editing. These steps will help you to write a coherent and well-organized essay in the time given.

Preparation

Before the examination, you should do extensive reading and choose a topic based on your interest and research. Devise a clearly focused title in the form of a question, write a complete essay plan, including a full list of references and take them into the examination.

Writing

When you are writing the essay, a structure based on the following elements may be used.

Introduction

Start your essay with an introductory sentence or paragraph. It can be a general statement or an idea of your own that takes into account the key words in the title.

Body paragraphs

Arrange the body paragraphs in a logical way to develop the main ideas formulated in your essay plan. Apply appropriate connective words to ensure smooth transitions between sentences and paragraphs. Try to develop every paragraph adequately by using examples, explanations, logical inferences or making comparisons.

Conclusion

Make a concluding statement. It can be your own comment on the topic, a potential solution for the problems discussed above, or an overall summary of the ideas presented above.

Editing

After writing, you should take some time to edit your essay. The following are some questions to think when checking your essay.

- Have I used accurate grammatical structures?

- Have I used a rage of sentence structures?

- Have I used appropriate vocabulary?

- Have I used connective words effectively so that the thoughts move logically and clearly?

- Have I developed the ideas adequately?

- Have I developed a definite viewpoint?

⟨⟩ Topics and Texts

Topic 1　Modern Chinese History

辛亥革命[1]和中华民国[2]的建立

　　20世纪初，资产阶级民主革命思潮迅猛传播，震撼着中国思想界，并推动民主革命运动的到来。严复[3]是最早的留英学生之一，他翻译出版了赫胥黎[4]的《天演论》[5]、亚当·斯密[6]的《原富》[7]等著作。新兴的知识分子创办许多政治性刊物宣传民主革命学说；另有百余种宣传革命思想的小册子也相继面世，大大冲击了人们的思想。这一切表明在中国的各个地区，一个更加积极的地方精英阶

---

1 辛亥革命：The Revolution of 1911 (the Chinese bourgeois democratic revolution led by Dr. Sun Yat-Sen which overthrew the Qing Dynasty). 辛亥 is the traditional Chinese way to mark the order of year.

2 中华民国：The Republic of China, found in 1911 by Dr. Sun Yat-Sen.

3 严复：Yan Fu (1853-1924), Chinese scholar, most famous for introducing Western thoughts, including Darwin's ideas of "natural selection" and "survival of the fittest", into China in the late 19th century.

4 赫胥黎：Thomas Henry Huxley (1825-1895), one of the first adherents to Darwin's theory of evolution by natural selection.

5 《天演论》："Evolution and Ethics", written by Thomas Henry Huxley and published in 1893.

6 亚当·斯密：Adam Smith (1723-1790), British philosopher and economist, whose celebrated treatise "An Inquiry into the Nature and Causes of the Wealth of Nations" was the first serious attempt to study the nature of capital and the historical development of industry and commerce among European nations.

7 《原富》："An Inquiry into the Nature and Causes of the Wealth of Nations" written by Adam Smith and published in 1776.

层（主要以新兴知识分子为代表）正在形成，他们渴望参与政治秩序的重建。

孙中山[1]先生作为革命运动的创始人，是近代中国一个伟大的爱国者和革命家。他为了争取中国之自由平等，从1894年中日战争以前就开始奔走革命。通过对西方的考察，孙中山开始考虑在中国建立一种比西方更先进的政治模式，使中国走上一条新路。1905年他成立了革命同盟会[2]，把学生革命者中的激进分子引上了武装斗争的道路。在此后的几年里，同盟会发动了七八次起义。孙中山本人则继续为筹集资金和寻求赞助而奔走于世界各地。

一次突发事件——在湖北省武昌镇（武昌是武汉三镇之一）革命党总部里，一枚炸弹突然爆炸——引发了武昌起义[3]，最终导致了清王朝的瓦解。1911年10月初，由于武昌革命党人不慎，起义计划泄露，清政府到处搜捕革命党人，形势非常紧迫。为防止暴露革命组织，10月10日军官仓促发动政变。革命党占领武昌城，成立湖北军政府并通电各省，各地革命党人纷纷起义响应。六周内，全国就有15个省脱离了清政府。这一年是旧历[4]辛亥年，历史上称这次革命为辛亥革命。

1912年元旦，孙中山就任中华民国第一任临时大总统，宣告中华民国成立。各省代表会议改组为临时参议院，成为临时政府的最高立法机关。临时参议院颁布《中华民国临时约法[5]》，按照西方资产阶级的民主制度和立法、行政、司法"三权分立[6]"的原则，在中国建立一个实行议会制和责任内阁制的资产阶级共和国。

清廷绝望之下请其军队的最高统帅袁世凯[7]出面解决统治危机。袁世凯先礼

---

1 孙中山：Dr. Sun Yat-Sen (1866-1925), Chinese revolutionary leader and statesman who is considered by many to be the "Father of Modern China". He had a significant influence in the overthrow of the Qing Dynasty and establishment of the original Republic of China. A founder of the Kuomintang, Sun was the first provisional president of the Republic of China in 1912 and de facto leader from 1923 to 1925. He developed a political philosophy known as the Three Principles of the People.

2 革命同盟会：The Revolutionary Alliance, a revolutionary society formed by Dr. Sun Yat-Sen in Tokyo.

3 武昌起义：The Wuchang Uprising(Oct. 10, 1911). It triggered the collapse of the Qing Dynasty and establishment of the Republic of China, and was regarded as the start of The Revolution of 1911.

4 旧历：the Chinese calendar

5 临时约法：the provisional constitution

6 三权分立：the separation of the executive, legislative and judicial powers

7 袁世凯：Yuan Shikai (1859-1916), Chinese military leader (head of the Northern Warlord). He supported the dowager empress, Ci Xi, against the reform movement (1898) of Emperor Guang Xu, and she rewarded him with the vice regency of Zhili (now Hebei). As governor he suppressed the Boxer Uprising, winning foreign favor, which enabled him to build the strongest military force in China. During the revolution of 1911, he procured a truce in which Emperor Pu Yi abdicated on Feb. 12, 1912, and Sun Yat-Sen, president of the provisional government, resigned in Yuan's favor as President of a Republic. Opposition to Yuan's dictatorial methods soon developed. In 1914 he dissolved the parliament and on Jan. 1. In 1916, he assumed the title of emperor. A rebellion in Yunnan forced him almost immediately to restore the Republic.

后兵[1]，同革命党开始进行谈判。双方最终达成协议：清帝退位；袁世凯就任共和国总统，孙中山辞职；退位后的清帝及其随员得到优待并继续拥有其财产的所有权。1912年2月，清王朝的最后一位皇帝溥仪[2]宣布退位。

通过这一系列的妥协，中国避免了一场持久的内战、一次下层阶级的起义和一场外国的干涉。清王朝的迅速灭亡，证明了太平天国运动[3]以来中国社会发生的巨大变化：一个受过教育的精英阶层已在皇权背后聚集起来。他们充满了革命的热忱，希望变革，渴望现代化。

辛亥革命推翻了中国历史上最后一个专制皇朝，结束了中国数千年的封建帝制。虽然当时仅有"民国之名，而无民国之实"，但是它却广泛散播了民主共和的思想的种子，成为中国政治开始向现代化迈进的起点。

思考题：

❶ 你如何评价孙中山在中国历史上的地位？

❷ 辛亥革命为什么能够颠覆中国的封建制度？

北洋军阀[4]的统治

袁世凯就任中华民国临时大总统以后，立即组织内阁。在拟定各部总长名单时，他竭力排斥革命党人。内阁组成后，北洋军阀掌握实权。1912年4月1日，临时大总统孙中山宣布解职。北洋军阀开始统治中国。

袁世凯上台以后，宋教仁[5]等一部分同盟会会员，幻想由资产阶级政党来组织责任内阁，以限制袁世凯的权力。1912年，宋教仁把同盟会改组为国民党。孙中山被推为理事长。不久，孙中山委托宋教仁代理理事长。国民党成为国内第一大党。

由于宋教仁积极奔走，国民党在国会选举中独占优势。袁世凯大为恐慌。

---

1 先礼后兵：try peaceful means before resorting to force
2 溥仪：Henry Pu Yi (1906-1967), the last emperor of China.
3 太平天国运动：Taiping Rebellion (1850-1864), revolt against the Qing Dynasty of China. Perhaps the most important event in 19th century China.
4 北洋军阀：the Northern Warlord
5 宋教仁：Song Jiaoren (1882-1913), Chinese revolutionary and political leader. He was a founding member and a leading activist in the Revolutionary Alliance.

为阻止国民党组织责任内阁，1913年春，袁世凯派人在上海火车站暗杀了宋教仁。由于袁世凯公然践踏民主共和制度，孙中山号召兴师讨伐，很快就有6个省宣布独立，这被称为"二次革命"。袁世凯对其进行了武力镇压，建立了军事独裁。

1914年5月，袁世凯废除《中华民国临时约法》，颁布《中华民国约法》；改责任内阁制为总统制；并修改总统选举法，规定总统可以无限期连任，可以指定继承人。1915年的下半年，袁世凯甚至宣布将于次年元旦称帝。此举引起了大范围的抗议活动。1915年底，爱国将领蔡锷、李烈钧、唐继尧宣告云南独立，组织护国军分别向四川、贵州及广州和广西进军。护国战争爆发了。

袁世凯纠集重兵围剿护国军。但北洋军队纪律败坏，人心涣散，节节败退。不少省份纷纷独立。袁世凯陷入四面楚歌[1]、众叛亲离[2]的境地。1916年3月，他被迫取消帝制。6月袁世凯意外死去，护国战争结束。

袁世凯死后，黎元洪继任总统，任命段祺瑞为国务总理。段祺瑞操纵北京政府实权。他拒绝恢复《中华民国临时约法》和国会，叫嚣以武力统一全国。1917年7月，孙中山在广州举起护法运动[3]的旗帜。护法军政府成立，孙中山任海陆军大元帅。不久，北京政府内部反段势力占了优势，段祺瑞武力统一计划破产，南北军阀妥协。他们很快串通一气，排挤孙中山。1918年5月，孙中山离开广州回到上海，护法运动失败了。

思考题：

袁世凯是怎样窃取辛亥革命的成果的？

军阀割据纷争

袁世凯死后，北洋军阀分裂，冯国璋和曹锟一派形成直系[4]军阀，主要势力在江苏、江西、湖北三省，由英美两国扶植；段祺瑞一派形成皖系[5]军阀，掌握北京政府实权，靠日本支持，控制着安徽、浙江、山东、福建等省。此外，东

---

1 四面楚歌：be besieged on all sides
2 众叛亲离：be utterly isolated
3 护法运动：the Constitution Protection Movement
4 直系：The Zhi faction. 直 is the shortened form for 直隶 (Now Hebei).
5 皖系：The Wan faction. 皖 is the shortened form for 安徽 (Anhui).

北的张作霖独树一帜，也靠日本支持，形成奉系[1]军阀。其他一些省也出现了许多军阀。为了抢夺地盘和政权，军阀混战，连绵不断。中国出现军阀割据纷争的局面。

第一次世界大战爆发后，日本以贷款给北京政府为诱饵，怂恿中国对德国宣战，妄图加强对中国的控制。段祺瑞也想以参战为名，利用日本贷款，扩充皖系的势力。美国得知日本的阴谋，支持黎元洪和一部分国会议员，反对参战。黎元洪也不愿意让皖系的势力扩张，极力抵制段祺瑞。所谓府院之争[2]，由此而生。

1917年6月，安徽督军张勋[3]，以调解府院之争为名，率领他的"辫子军[4]"5,000人入京，逼迫黎元洪解散国会。7月初，张勋、康有为[5]等拥戴清末代皇帝溥仪复辟。

张勋复辟遭到全国人民反对。段祺瑞见利用张勋逼走黎元洪的目的已经达到，就在日本支持下，组织"讨逆军"，攻入北京城，赶跑张勋。复辟丑剧仅上演12天就垮台了。冯国璋代理总统。段祺瑞任国务总理，重掌实权。他下令对德国宣战。

在长达12年的军阀混战期间，由于强大的中央权力不复存在，袁世凯旧部的指挥官、各省的行政长官、地方强权人物以及土匪，全都忙于营造自己的势力范围；一些曾被清朝占领但未融入汉文化的地区，如西藏、蒙古也乘机宣布独立；孙中山及其他同志努力在遥远的南方建立起国民革命的军事基地；与此同时，北京政坛更迭频繁，共有6位总统、25届内阁相继上台。军阀们在中华大地上挑起了破坏性极强的战争，老百姓的生活惨遭蹂躏。

思考题：

❶ 你对溥仪复辟怎么看？

❷ 为什么孙中山领导的辛亥革命没有取得彻底的成功？

---

1 奉系：The Feng faction. 奉 is the shortened form for 沈阳 (Shenyang).
2 府院之争：the conflict between the President (Li Yuanhong) and the Premier (Duan Qirui)
3 张勋：The leader of the Pigtail Army, known as the "Pigtail General".
4 辫子军：The Pigtail Army. All soldiers in this army kept the pigtail to show their loyalty to the collapsed Qing Dynasty.
5 康有为：Kang Youwei (1858–1927), Chinese philosopher and reform movement leader.

"五四"运动[1]

北洋军阀统治时期，在文化领域里推行尊孔[2]复古的陈腐思想。一时间，复古思想到处泛滥。早在袁世凯当临时大总统的时候，他就向全国发出恢复封建礼教的号令。袁的举措立即得到清朝遗老遗少[3]的欢迎，他们纷纷建立"孔教会"、"宗圣会"，公然上书北洋军阀政府，要求定"孔教"为"国教"，列入"宪法"。一些帝国主义分子也踊跃加入尊孔复古的行列，鼓吹："孔教乃中国之基础"，"定孔教为国教"。

从1915年起，以一些激进的民主主义者为领导的青年知识分子们开始了反对陈腐思想的斗争。这些受过现代教育的文人，觉得自己肩负着劝诫当局的责任，确信现代的教育已使他们成为当然的中国的拯救者。这一认识在重新组建的北京大学内体现得尤为明显。《新青年》[4]杂志的创办者陈独秀[5]曾任北京大学教授。他在1915年《新青年》的创刊号上发表《敬告青年》一文，他赞美青年，期望青年人应该独立思想，不为旧观念束缚；他还提出了民主和科学的口号，向长久以来的复古尊孔思潮发起挑战，新文化运动就此开展起来。

另一位北大教授胡适[6]在《新青年》上发表《文学改良刍议[7]》一文，主张

---

1 五四运动：The May Fourth Movement (1919), first mass movement in modern Chinese history. On May 4, about 5,000 university students in Beijing protested the Paris Peace Conference awarding Japan the former German leasehold of Jiaozhou, Shandong province. Demonstrations and strikes spread to Shanghai, and a nationwide boycott of Japanese goods followed. The May Fourth Movement began a patriotic outburst of new urban intellectuals against foreign imperialists and warlords. Intellectuals identified the political establishment with China's failure in the modern era, and hundreds of new periodicals published attacks on Chinese traditions, turning to foreign ideas and ideologies. The movement also popularized vernacular literature, promoted political participation by women, and educational reforms.

2 尊孔：respecting Confucius

3 遗老遗少：old and young survivals of the bygone age (Qing Dynasty)

4 《新青年》：New Youth, an influential Chinese revolutionary magazine in the 1920s that played an important role during the May Fourth Movement. The magazine was started by Chen Duxiu in Shanghai on Sep. 15, 1915. Its headquarters was moved to Beijing in January 1917. Editors included Chen Duxiu, Qian Xuantong, Gao Yihan, Hu Shih, Li Dazhao, Shen Yinmo and Lu Xun. It initiated the New Culture Movement and promoted science, democracy, and Vernacular Chinese literature.

5 陈独秀：Chen Duxiu (1879-1942), Chinese educator and Communist party leader. Chen was converted to Marxism in the period following the student-led intellectual revolution known as the May Fourth Movement (1919). He founded (1920) two Marxist groups, and in 1921 representatives of these groups met with representatives of groups organized by Li Dazhao to found the Communist party.

6 胡适：Hu Shi (1891-1962), Chinese philosopher and essayist, leading liberal intellectual in the May Fourth Movement. He studied under John Dewey at Columbia University, becoming a lifelong advocate of pragmatic evolutionary change. While professor of philosophy at Beijing University, he wrote for the iconoclastic journal New Youth. His most important contribution was promotion of vernacular literature to replace writing in the classical style. Hu Shi was also a leading critic and analyst of traditional Chinese culture and thought. He was ambassador to the United States (1938-1942), chancellor of Beijing University (1946-1948), and after 1958 president of the Academia Sinica in Taiwan.

7 刍议：meager opinion

以日常说话用的白话文[1]代替许多世纪以来被视为文人标志的文言文[2]。这不仅为了创造一种使普通人能看得懂的文学，也是为了使中国文字成为现代思想的表达工具，使文化向民众敞开，帮助他们从旧的思维定势中解脱出来。

鲁迅[3]是最早能很好地运用白话文写作的作家之一。1918年他在《新青年》上发表了第一篇白话短篇小说《狂人日记》[4]，对中国的传统文化和封建道德进行了深刻的批判：小说的主人公发现，被前辈们视为崇高的仁义道德不过是一种人吃人的价值观念。鲁迅把反封建礼教和封建道德的内容，同新文学的形式结合起来，树立了新文学的典范。

1919年，即新文化运动的第四个年头，北京乃至全国爆发了一场轰轰烈烈的示威大游行。其起因是这样的：第一次世界大战结束后，战胜国于1919年1月在巴黎召开"和平会议"，讨论缔结对德"和约"与处理战后问题。作为战胜国之一，中国派出了代表团出席巴黎和会[5]，提出取消帝国主义国家在中国的一切特权，其中包括在大战时被日本夺去的德国在山东占有的各种特权。但不幸的是，日本已经同英法在《凡尔赛和约》[6]中签订了秘密协定，意大利也支持日本接管德国在中国的权利。

1919年5月4日，不利决定的消息传来，北京3,000多名爱国学生在天安门前集会，打出爱国标语，举行示威游行。他们高呼"外争国权，内惩国贼"、"废除二十一条[7]"、"拒绝在和约上签字"等口号。紧接着，一个亲日派官员遭到痛打，另一个的家里被放了火。这一颗暴力的火星很快燃烧到全国：商店关门罢市，工会罢工，学生运动更有组织，声势浩大。北洋军阀政府出动军警镇压爱国学生，先后有上千名学生被捕。在公众的普遍抗议下他们最终被释放，继而内阁下台，中国拒绝在和约上签字。民族主义获得胜利，中国历史翻开新的一页。

1　白话文：Writing in vernacular Chinese.

2　文言文：Writing in classical Chinese.

3　鲁迅：Lu Xun (1881-1936), Chinese writer, pen name of Zhou Zuoren. He has been considered the most influential Chinese writer of the 20th century and is sometimes known as "the father of modern Chinese literatre". He is often seen as the founder of vernacular Chinese literature. His social thought, which substantially criticized traditional cultural values, was also highly influential in 20th century Chinese history, in particular, to the May Fourth Movement and the strains of thought it gave rise to, which in turn had a great impact on the Chinese communist movement and the rise of the People's Republic of China. He was also a noted translator and helped introduce Chinese to modern international literature.

4　《狂人日记》：the Diary of a Madman

5　巴黎和会：Paris Peace Conference

6　《凡尔赛和约》：Treaty of Versailles

7　"二十一条"：The Twenty-One Demands, a set of demands which the Japanese government of Okuma Shigenobu sent to the Chinese government in 1915, requiring that China immediately cease its leasing of territory to foreign powers and to ascent to Japanese control over Manchuria and Shandong.

　　"五四"运动和新文化运动的目标重合起来，他们反对帝国主义、封建主义、军阀主义、独裁和对传统的盲从，追求民族主义、爱国主义、科学、民主、进步和自由。一个多元的知识、文化、学术运动在进行着。一些知识分子致力于通过白话文建立一种新文明，还有一些人在研究西方科学、哲学和社会政治学说。随着1917年俄国布尔什维克[1]革命的成功，中国知识分子也开始关注马克思列宁主义。1921年7月在第三国际[2]的帮助下中国共产党成立了，它以社会主义为奋斗目标，以阶级斗争为首要斗争形式，与无政府主义者彻底划清了界限。同军阀时代对比起来，中国由此开始进入一个国民革命的政治革命阶段。无论是国民党还是共产党，都尝试建立党的国家和党的军队，在国民革命中两党既竞争又合作，使得20世纪20年代的中国充满了政治新闻。

思考题：

❶ "五四"运动对中国现代化进程产生了怎样的影响？

❷ 鲁迅、陈独秀和胡适对"五四"运动做出了哪些贡献？

新文化运动

　　新文化运动是学术界的一种革新运动。1919年5月4日前夕，陈独秀在其主编的《新青年》上刊载文章，提倡民主与科学，批判中国文化，并传播马克思主义[3]思想；一方面，以胡适为代表的温和派，则反对马克思主义，支持白话文[4]运动，主张以实用主义[5]代替儒家[6]学说，即为新文化运动的起源。在这一时期，陈独秀、胡适、鲁迅等人成为新文化运动的核心人物，这一运动成为"五四"运动的先导。

　　1915年，中国独裁统治者袁世凯意欲复兴帝制，他在文化方面实行的一个步骤，就是抬出"尊孔复古"的口号，为自己制造复辟的舆论和文化基础。由于1911年的辛亥革命不仅成功地推翻了封建君主专制，也使"民主"、"共和"这一思想深入人心，因此袁世凯这一举动遭到了具有民主思想的知识分子

1 布尔什维克：Bolshevik
2 第三国际：the Third International
3 马克思主义：Marxism
4 白话文：colloquialism
5 实用主义：ipragmatism
6 儒家：Confucianism

狙击。

1915年，陈独秀在上海创办了《青年杂志》（自第二卷改成《新青年（LA JEUNESSE）》。研究这段历史的人们也普遍以《新青年》作为该杂志的总称，提出"德先生"（指"民主"Democracy）和"赛先生"（指"科学"Science），并在该刊物上大量发表抨击尊孔复古思想的文章，标志着"新文化运动"的开始。陈独秀在《驳康有为致总统总理书》等一系列文章中反复说明了三点：第一，封建礼教与民主政治不可两立，尊孔必将导致复辟，孔子思想不能适应"现代生活"。第二，尊孔，定"孔教"为国教，违反思想自由的原则。第三，定"孔教"为国教违反宗教信仰自由的原则。他最重要的论点集中在封建礼教与民主政治不两立这一点上，把思想上反对封建礼教与政治上主张民主制度紧密地结合在一起。他痛切地指出："孔子生长于封建时代，所提倡之道德，封建时代之道德也；所垂示之礼教、生活状态，封建时代之礼教、封建时代之生活状态也；所主张之政治，封建时代之政治也"。他认为要"输入西洋式社会国家之基础，所谓平等人权之新信仰，对于与此新社会、新国家、新信仰不可相容之礼教，不可不有彻底之觉悟，猛勇之决心，否则不塞不流，不止不行。"这些反对封建礼教、宣扬民主思想的宣传，说明当时的陈独秀在反封建斗争中是坚决而彻底的。1917年，陈独秀又发表《文学革命论》一文，主张废除反映封建思想的旧文学，提倡反映现实的新文学，号召打倒"贵族文学"，建设"国民文学"，要求从形式到内容进行文学改革。同年，陈独秀任北京大学文科校长、教授。第二年与李大钊[1]创办《每周评论》。"五四"运动以后，陈独秀由激进民主主义者转向马克思主义者，为发起成立中国共产党做了大量工作。

这一时期中国著名思想家、文学家们也纷纷在该刊物上发表文章，如李大钊、胡适等。这些撰稿人普遍接受了西方民主和科学的思想，使之成为新文化运动前期的指导思想。那时候，《新青年》是新文化运动的主要阵地。著名的教育家蔡元培[2]任校长的北京大学，是新文化运动的主要基地。在中国的教学中，以"四个反对"和"四个提倡"概括新文化运动的主要内容：

提倡民主，反对专制、独裁。

提倡科学，反对愚昧、迷信。

提倡新道德，反对旧道德。

提倡新文学，反对旧文学。

---

1 李大钊：Li Dazhao(1889-1927), one of the main founders of the Chinese Communist Party.
2 蔡元培：Cai Yuanpei (1868-1940), revolutionist, educator and politician.

《新青年》提出了"提倡白话文，打倒文言文"、"提倡新文学，打倒旧文学"的口号。1917年，胡适在《新青年》杂志上发表《文学改良刍议》，提出以白话文代替文言文的意见。胡适的主张，着重于文体形式的改革。陈独秀紧接着发表《文学革命论》，要求文学不仅在形式上，而且在内容上进行一次革命。《新青年》从四卷一期起改用白话文，采取新式标点符号。一些新体诗也开始在《新青年》上出现。鲁迅是文化革命的主将，他陆续发表短篇小说《狂人日记》和一些犀利的杂文，出色地把反封建旧礼教的革命内容与白话文的形式结合起来，树立了新文学的典范。

1916年3月，护国运动[1]粉碎了袁世凯的皇帝梦，新文化运动的直接产生因素，就这样被消除了。从此新文化运动开始逐渐淡去强烈的政治色彩，成为一般性的文化运动。1917年十月革命胜利，一部分在新文化运动中思想激进的知识分子，如李大钊、陈独秀等，接受了马列主义，转变为"具有初步共产主义思想的知识分子"。他们认为共产主义才是能够令中国独立富强的方式，开始极力宣传十月革命，成为共产主义在中国被广泛了解的契机。

中国共产党认为新文化运动全方位动摇了封建思想的统治地位，使中国人民的思想得到空前的解放，解除了思想禁锢的知识分子们，开始投身更多的政治活动，成为"五四"运动的导火索；知识分子在此运动中所宣扬的社会主义思想，最终导致共产党统治在中国的确立。

另有人认为"新文化运动"是部分青年自由主义[2]者和左翼[3]激进文人[4]之间的不稳定组合，主要成员都相信必须用现代西方文化替代中国传统文化，但彼此对西方文化和中国现实的理解大相径庭，所以这个运动迅速分解并依照各种政治意识形态[5]重新组合。中国现代自由主义和马克思主义思潮都可以在这个运动中找到源头。

新文化运动带来了如下影响：

一、动摇了封建思想的统治地位。新文化运动前，资产阶级改良派和革命派在宣传各自的政治观点时都没有彻底地批判封建思想。经过新文化运动，封建思想遭到前所未有的冲击批判，人们的思想得到空前的解放。

二、民主和科学思想得到弘扬。中国知识分子在新文化运动中，受到一次

---

1 护国运动：Movement of Defending the Nation. Also named 护国战争 (War of Defending the Nation). It was a civil war occurred between 1915 and 1916.

2 自由主义：liberalism

3 左翼：left wing

4 文人：literator

5 意识形态：ideology

西方民主和科学思想的洗礼。这就为新思潮的传播开辟了道路，也推动了中国自然科学事业的发展。

三、为"五四"运动的爆发作了思想准备。新文化运动启发了民众的民主主义觉悟，对"五四"运动起了宣传动员作用。

四、后期传播的社会主义思想启发了中国先进的知识分子，使他们选择和接受了马克思主义，并将其作为拯救国家、改造社会和推进革命的思想武器。这是新文化运动最重要的成果。

五、有利于文化的普及和繁荣。新文化运动提倡白话文，使语言和文字更紧密地统一起来，为广大民众所接受，从而有利于文化的普及与繁荣。

不过，新文化运动中的先进分子，大多有一些偏激情绪，对东西方文化的看法存在着绝对肯定或绝对否定的偏向。这种看法一直影响到后来。

思考题：

❶ 新文化运动的主张是什么？

❷ 新文化运动有哪些历史意义？

国民革命及国共第一次统一战线[1]

孙中山领导的中国国民党成立后，第三国际代表向其提供了援助。第三国际首先考虑的是帮助孙中山建立党的军队，以便通过军队取得政权。从1921年到1925年，第三国际向中国派出了约1,000名军事顾问。同时中国也派军官赴苏联考察。蒋介石[2]在赴苏联进行了为期4个月的军事培训后被任命为黄埔军校[3]的校长。刚从法国归来的共产党人周恩来[4]被任命为该校政治部主任。

---

1 统一战线：United front. In Leninist theory, a united front is a coalition of left-wing working class forces which put forward a common set of demands and share a common plan of action, but retaining their abilities for independent political action and continuing to hold different political programs.

2 蒋介石：Chiang Kai-shek (1887-1975), Chinese military and political leader who assumed the leadership of the Kuomintang after the death of Dr. Sun Yat-Sen in 1925. He commanded the Northern Expedition to unify China against the warlords and emerged victorious in 1928 as the overall leader of the Republic of China. Chiang led China in the Second Sino-Japanese War, during which Chiang's stature within China weakened but his international prominence grew. Chiang and his troops were defeated in the Chinese Civil War (1926–1949). His government to was forced to retreat to Taiwan.

3 黄埔军校：Whampoa Military Academy, a military academy in China that produced many prestigious commanders who fought in the Sino-Japanese War and Chinese Civil War. It was founded in 1924 to train military commanders for the National Revolutionary Army that was set to defeat the northern warlords in the Northern Expedition.

4 周恩来：Zhou Enlai (1898-1976), a prominent Chinese Communist leader, was Premier of the People's Republic of China from 1949 until his death.

　　1921年，中国共产党宣告成立。第三国际代表在帮助国民党建立权力基础的同时，也对中国共产党进行支持。1922年，孙中山在第三国际和中国共产党的帮助下，提出改组国民党。1923年，中国共产党在第三国际的支持下，做出了与国民党合作的决议。许多共产党员以个人身份加入了国民党。1924年，改组后的国民党确定了"联俄、联共、扶助农工"的政策，以及建立国共两党和各界人民的统一战线。

　　20世纪20年代，中国工业向前发展，为劳工成长和共产主义者的活动提供了土壤。在第一次世界大战期间，欧洲产品出口能力的急剧下降为中国工业的迅速发展提供了契机。当时中国工厂的条件极其糟糕，纺织厂的工人实行每周7天工作制，每天的工作时间长达20个小时，而且普遍使用童工。包工头[1]从农村招来工人，以债务奴隶的形式控制他们，仅供给他们最低水平的食宿。外国人在中国投资办厂加剧了工人和工厂主之间的矛盾，工人们在组织者的鼓动下经常进行罢工。1921年全国有55起大罢工，次年达到91起。随着罢工的增多，镇压工会组织的暴力事件屡有发生。

　　1925年5月30日上海发生了著名的五卅惨案[2]。上海日本纱厂资本家枪杀了一名共产党员身份的工人，激起群众愤怒。在中国共产党领导下，5月30日，上海学生2,000多人在公共租界[3]抗议帝国主义暴行。英国巡捕逮捕了许多游行的学生，并向示威群众开枪，当场打死打伤几十人。这立刻引发了全国性的罢工、抵制洋货和示威游行。6月，英军又在广州枪杀了52名示威者，一场规模浩大的罢工随即爆发。罢工工人实行罢工、封锁与抵制相结合的措施，使香港交通运输停顿，商店货源枯竭，致使香港贸易停滞，经济损失惨重，致使当时的香港英国总督任期未满，就被免职回国了。

　　这些情况证明，共产党和国民党苦心创建的工会组织和党组织已大获成功。在全国范围内动员爱国人士反对帝国主义和军阀，取消不平等条约，将国家重新统一在一个强大的政府之下，结束通商口岸的半殖民地状态的时机已经成熟。

---

1 包工头：head of labor contractor
2 五卅惨案：The May 30th Massacre, the massacre of the Chinese people by the British police in Shanghai on May 30, 1925. It immediately aroused country-wide indignation, demonstrations and strikes, forming a tremendous anti-imperialist movement.
3 租界：concession

思考题：

❶ 国共第一次统一战线为什么在这一时期得以建立？

❷ 请描述一下这个时期的社会矛盾。

北伐战争[1]

1926年，在中国共产党推动下，广东国民政府决定北伐，推翻帝国主义和封建军阀的统治，把革命推向全国。

北伐的主要对象是吴佩孚、孙传芳、张作霖三派军阀。5月，以共产党员和共青团员为骨干的第四军叶挺独立团，奉命作为北伐先锋，首先开赴湖南前线。7月，国民革命军约10万人，正式出师北伐，蒋介石任北伐军总司令。北伐军分三路进军。

湖南、湖北是北伐的主要战场。那里有吴佩孚的主力军10万人。北伐军迅速打下长沙，攻入湖北。吴佩孚在粤汉铁路上的汀泗桥、贺胜桥布置重兵，亲自指挥。北伐军，尤其是第四军独立团，奋勇冲锋，击溃敌军，连克汀泗桥、贺胜桥。吴佩孚败退武昌。紧接着，第四军的追击部队开始围攻武昌。10月，北伐军攻破武昌。至此，两湖战事结束，吴佩孚的主力部队基本被消灭。

湖南、湖北激战的时候，孙传芳把军队集中到江西，想同北伐军决战。北伐大军转入江西。进攻南昌时北伐军受阻，蒋介石亲自指挥，连攻三日不下，一时伤亡惨重。北伐军主力第四军等在湖北战场得胜后，增援江西，会同各军，消灭了孙传芳的主力，夺取九江、南昌。接着，北伐军沿长江东下，直捣南京。

不到半年，北伐军从珠江流域[2]打到长江流域，声势震动全国。1927年初，国民政府从广州迁到武汉。

北伐战争开始以后，在国民党工作的共产党员在各地广泛发动和组织工农群众支援北伐战争，而北伐的节节胜利又推动了工农运动的发展。

1927年初，全国已有17个省建立了农民协会，会员900多万人，很多农会甚至拥有枪支。农会势力极盛一时，地主权力完全被打倒，"一切权力归农

---

1 北伐战争：The Northern Expedition, a military campaign led by Chiang Kai-shek in 1927 intended to unify China under the rule of the KMT and ending the rule of local warlords. It was largely successful at these objectives. During the Northern Expedition, the KMT and the CCP were cooperating with each other.
2 流域：drainage area

会"。在湖南，根据省农民代表大会提议，成立了审判土豪劣绅[1]的特别法庭。不少恶名昭著[2]的土豪劣绅，经审判后被处决。省农会通过了减租、减息，禁止高利贷[3]，反对苛捐杂税[4]等重要提案。农会还创办学校，教农民识字，开办合作社，限制高利贷。在短短几个月内，轰轰烈烈的农民运动使几千年来封建势力重压下的广大农村发生了翻天覆地的变化。

为了配合北伐军的胜利北上，上海工人举行过两次武装起义，都失败了。1927年3月，周恩来领导上海工人举行第三次武装起义。这次起义，成立了指挥部，建立了严密的组织，制订了周密的计划。经过30小时的浴血奋战，中国共产党领导下的工会从当地军阀手中夺取了上海政权，以迎接革命军队的到来。

当北伐军胜利进军的时候，统一战线内部已经隐藏着深刻的分歧。统一战线对于国共双方而言都不过是权宜之计[5]。许多国民党的支持者感到了来自阶级斗争宣传的严重威胁，国民党军队内部也存在着许多坚决的反共分子。1927年4月12日，蒋介石组织上海黑社会中专事敲诈的青帮[6]分子，发动了反革命政变，对上海的共产党员和工会成员进行大屠杀，几天内数以千计的人惨遭杀害。蒋介石借此牢牢地控制了国民党，并在南京建立起他的政府。从1927年到1930年，国民党在全国范围内肃清[7]共产党人。共产党军队（1927年8月1日，周恩来、朱德、贺龙、叶挺、刘伯承等人领导发起了南昌起义，从此中国共产党有了自己的武装力量。）虽发动一系列起义（如毛泽东发起的"秋收起义[8]"）反击，但很快就被镇压下去了。共产党组织被迫转入地下或进入农村活动。第一次统一战线结束了。

---

1 土豪劣绅：local tyrant and evil gentry
2 恶名昭著：flagrant
3 高利贷：usury
4 苛捐杂税：exorbitant taxes and levies
5 权宜之计：makeshift
6 青帮：The Green Gang, a criminal organization operating in Shanghai in the early 20th century. It managed, under its leader Du Yuesheng, to control the criminal activities in the entire city of Shanghai. The primary activity of the Green Gang was the trade in opium, which was supported by local warlords. The Green Gang was also involved in the Chinese Civil War, responsible for the White Terror massacre of approximately 5,000 pro-Communist strikers in the City of Shanghai on February 2, 1928, which was quietly approved by Chiang Kai-shek who granted Du Yuesheng the rank of General in the Nationalist army as a result of the massacre.
7 肃清：purge
8 秋收起义：The Autumn Harvest Uprising, an insurrection that took place in Hunan province in China in 1927, led by Mao Zedong. Mao led a small army of peasants to fight the KMT and the landlords of Hunan. The uprising was defeated by the KMT forces and Mao was forced to retreat to Jiangxi province where he reverted to guerilla tactics prior to the Long March of 1934.

思考题：

❶ 国共第一次统一战线取得了怎样的成果？

❷ 为什么说国共第一次统一战线对双方都是权宜之计？

南京国民政府的建立

　　1927年4月，蒋介石在南京建立国民政府。蒋介石彻底背叛了孙中山制定的"联俄、联共、扶助农工"[1]的三大政策，通令各地捕杀共产党员和革命群众。他密令：凡共产党员，一经审定，立即"正法[2]"。他们进行了血腥的大屠杀，许多优秀的共产党干部都被杀害。

　　在白色恐怖弥漫的同时，国民党武力统一全国的进程仍在继续。1928年，国民政府发动对奉系军阀张作霖的北伐。北伐部队迅速占领山东省首府济南。日本为阻止国民政府北伐，以保护侨民为借口，出兵山东，侵入济南。日军缴获了一部分北伐军的武器；在占领区内肆意开枪射击，先后打死打伤6,000余人，制造了"济南惨案"。

　　蒋介石为了取得日本的谅解和支持，命令部队退出济南，绕道北上。北伐部队逼近北京、天津，张作霖被迫退往东北。北伐部队乘胜占领北京。

　　由于张作霖没有答应日本侵略中国东北的一些条件，在他乘专车行至沈阳附近的皇姑屯时，被日军炸死。张作霖死后，他的儿子张学良继任东北保安总司令。国民政府劝说张学良改旗易帜[3]，服从南京国民政府。日本为把东北变为它的殖民地，威逼张学良在东北"独立"。

　　日本借向张作霖吊丧[4]之机，派人到沈阳。他们威胁张学良说：如果中国东北不听日本劝告，"而与暴动的南方达成妥协之事，为了维护我国既得权利，则将不得不采取必要的行动"。并再三声称：日本政府对于东北易帜一事，一定要干涉到底。同一天，日军在沈阳举行大规模演习，向张学良示威。

　　张学良身负国耻家仇，不顾日本武力威胁，毅然于1928年底发表通电，宣告东北服从国民政府，改易旗帜，史称东北易帜。这样，南京国民政府在全国

1　"联俄、联共、扶助农工"："Alliance with Russia, cooperation with the Chinese Communist Party and assistance to the peasants and workers". These were the cardinal policies set by Dr. Sun Yat-sen.

2　正法：execute

3　改旗易帜：Change the flag to the Kuomintang's "Blue Sky White Sun Flag". Meaning to form an alliance with the Kuomintang..

4　吊丧：condole

范围内完成了形式上的统一。

　　随着全国的统一，国际上对国民政府的承认也接踵而至[1]。国民政府似乎也日渐接近外国列强。此后几年里，列强答应削减他们的在华特权。中国恢复了关税自主权，列强控制下的海关、盐政、邮政也相继回到国民政府手中。在经济问题上，国民党主要是寻求西方的指导。受过西方教育的经济学家和工程师担起了这一重任，开始着手银行、货币、税收、交通运输及通讯设施等的建设。

　　为了清除意识形态上的共产主义倾向，同时也是受当时欧洲法西斯运动的启发，蒋介石于1934年发起了一场以思想教化[2]为目的的"新生活运动[3]"。蒋宣称该运动的目的"就是使整个社会、全体国民生活军事化……特别是养成人们联合行动的习惯和能力，以便将来为民族牺牲"。蒋介石的另一个法西斯行动，就是创建黄埔军校毕业生组织——蓝衣社[4]，其成员宣誓绝对效忠于领袖蒋介石。"蓝衣社"后来在国民党的秘密警察队伍中充当了一个至关重要的角色。

　　30年代初期的中国，主要城市呈现了一派西方景象：城市中产阶级通常穿西装上班或上学；街道两旁矗立[5]着许多欧式建筑；外国人及其财产遍及各沿海通商口岸。随着高等教育、公众评论的出现，中国人甚至连思维都采用了西方模式。各行业的精英分子因赴国外留学而受到西方的影响，而在中国受教育的人也在逐渐习惯于西方的思维和行为方式，他们阅读西方书籍，受教于外国教师。

思考题：

❶ 南京国民政府建立以后取得了哪些成就？

❷ 你能描述一下20世纪30年代中国的政治经济社会状况吗？

---

1 接踵而至：one after another (踵, heel)
2 教化：moralization
3 新生活运动：The New Life Movement, set up by Chiang Kai-shek and his wife Soong May-ling in February, 1934. It aimed to promote traditional Confucian social ethics, while rejecting individualism and Western capitalistic values. It also targeted to build up morale in a nation that was besieged with corruption, factionalism, and opium addiction. While some have praised the movement for its role in raising the quality of life somewhat during the war with Japan, others have criticized it for its lofty goals that were out of touch with the suffering of the general populace.
4 蓝衣社："The Blue Shirts", a group within the Kuomintang in the 1930s which were actively modeled on the Brown Shirts and Black Shirts of Italian and German Fascism. They were disbanded in the 1940s after the Japanese invasion and after China found itself at war with Italy and Germany.
5 矗立：stand tall and upright

红色政权的建立和长征[1]的胜利

在国民党1927年—1928年的清共之后，死里逃生的共产党人分散到了全国各地。一部分在主要城市做地下工作，其余的就在远离国民党控制的乡村建立根据地。

1927年共产党先后领导了南昌起义[2]、秋收起义和广州起义[3]，开始了武装反抗国民党的革命战争。同年10月，毛泽东率领秋收起义的部队到达湖南和江西交界的井冈山地区。那里地势险要，易守难攻，附近农产品丰富，离大城市较远，国民党的统治力量相对薄弱。毛泽东在那里建立了中国革命的第一个根据地——井冈山革命根据地，并将中国工农革命军更名为中国工农红军。1928年4月，朱德、陈毅率领部队到达井冈山，与毛泽东率领的红军会合。5月，中国工农红军第四军正式宣告成立，毛泽东任党代表，朱德任军长，陈毅任政治部主任。随后各地起义军不断汇合，并建立了更多的根据地。

为了满足农民的土地要求，中国共产党在革命根据地进行土地革命，没收地主的土地分给农民，废除农民借地主、富农[4]的债务。这一系列的政策赢得了广大农民的支持。

1931年11月，中华苏维埃第一次全国代表大会在江西瑞金举行，宣布中华苏维埃共和国临时中央政府成立，选举毛泽东为临时中央政府主席，确定瑞金

---

1 长征：The Long March, the journey of 9,660 km undertaken by the Red Army of China in 1934–1935. When their Jiangxi province. Soviet base was encircled by the KMT army of Chiang Kai-shek, some 90,000 men and women broke through the siege (Oct., 1934) and marched westward to Guizhou province There, at the Zunyi Conference (Jan., 1935), Mao Zedong won leadership of the Communist party and decided to join the remote Shanxi province. Soviet base. Overcoming numerous natural obstacles (such as towering mountain ranges and turbulent rivers) and despite constant harassment by KMT troops and the armies of provincial warlords, the Red Army arrived at its new home in the north in Oct., 1935. However, more than half of the original marchers were lost in this almost incredible trek. Those who survived settled around the city of Yan'an.

2 南昌起义：The Nanchang Uprising (August 1, 1927), the first major KMT-CCP engagement of the Chinese Civil War. Troops of the KMT in Nanchang rebelled under the leadership of He Long and Zhou Enlai attempting to seize control of the city after the end of the first KMT-CCP alliance. Other important leaders are Zhu De, Ye Ting, and Liu Bocheng. Communist forces occupied Nanchang successfully and escaped from the siege of KMT forces at August 5, withdrawing to the Jinggang Mountains of western Jiangxi. The day of August 1st is later regarded as the anniversary of the founding of the People's Liberation Army. It is regarded as the first gun against KMT.

3 广州起义：The Guangzhou Uprising. On 11 December 1927, communist militia and worker red guards launched an uprising in Guangzhou. Utilizing the element of surprise, the uprising took over most of the city, and the Communist leadership announced the formation of a Guangzhou Soviet.

4 富农：kulak

为首都。

　　革命根据地的壮大，使国民党惊恐不安。蒋介石调集军队，从1930年开始在几年中对中央革命根据地连续发动了四次"围剿[1]"，都被红军一一击退。在第五次反围剿中，由于党内左倾领导人的错误指挥，红军战败，不得不放弃江西的根据地。1934年10月，共产党及其领导的中央红军8万余人冲破国民党的包围，开始长征，他们要努力寻找一块新的根据地。

　　在长征的初期，由于共产党内主要权力仍被左倾分子所掌握，红军不断受挫，遭到巨大的伤亡。1935年1月，在贵州北部重镇遵义城，共产党举行政治局扩大会议，集中全力解决了党内的"左"倾错误，采纳了毛泽东的非正规运动战的军事主张，并重新确立了毛泽东在党中央的领导地位。

　　此后，中央红军在毛泽东的领导下继续长征，经过不断的战斗和跋山涉水[2]，于1935年10月到达了陕西北部，在那里建立了新的根据地。从江西到陕西，他们辗转行程约9,656公里，穿越了中国南部和西南部的数省，其中包括雪山和草地等大片的无人居住区。1936年10月，另外两支红军队伍——红二方面军和红四方面军也历尽千辛万苦到达陕北，与红一方面军（即中央红军）胜利会师，长征至此宣告结束。

思考题：

❶ 红军是怎样取得长征胜利的？

❷ 为什么井冈山成为了中国革命的第一个根据地？

抗日战争

　　自1919年"五四"运动时起，中国的爱国者就已经把日本视为对中国主权的最大威胁。1895年，日本占据台湾；1905年，日本在战胜俄国之后，取得了在南满[3]的统治地位；1915年，日本通过向袁世凯施加压力，又向中国攫取[4]了广泛的经济特权。驻扎在满洲的日军，名义上是在保护铁路和其它的经济利

---

1 围剿：encircle and annihilate
2 跋山涉水：trudge over mountains and through water
3 南满：South Manchuria
4 攫取：snatch

益，实际上一直都在致力于扩张日本人的权限，以使日本军队踏遍中国国土。

　　1931年9月18日夜，日军炸毁南满铁路柳条湖的一段路轨，反诬是中国军队破坏。他们以此为借口，炮轰东北军驻地北大营，占领沈阳城。东北边防军司令张学良按蒋介石的旨意命令部队不予抵抗。东北军10多万人撤入关内[1]。日军如入无人之境[2]。不到半年，东北三省全部沦陷。1932年1月28日深夜，日军突然进攻上海。当时的上海是一个国际性的城市，日本的进攻，特别是对平民居住区的轰炸，引起了广泛的关注和谴责。四个月后，日军撤离上海。同年，日本扶植早已退位的清朝末代皇帝溥仪，在长春建立伪满洲国傀儡[3]政权，企图把东北从中国分裂出去。东北三省沦为日本帝国主义的殖民地。

　　日本的侵略燃起了全国人民的怒火，民族主义高涨起来。各种以抗日救亡为目的的组织纷纷成立，抵制日货运动也蓬勃发展。但蒋介石政府却一直坚持"攘外必先安内[4]"的政策，积极反共，消极抗日。直到1936年一场政变爆发才迫使蒋介石改变了他的政策。是年，蒋介石到西安，督促东北军将领张学良、杨虎城进攻陕北的红军。张学良、杨虎城多次劝说蒋介石停止内战，联共抗日，都遭到无理拒绝。为逼迫蒋介石抗日，他们于12日扣押了蒋介石，实行"兵谏[5]"。这就是震惊中外的"西安事变[6]"。在共产党和各方面的协调下，西安事变获得和平解决，蒋介石被迫答应建立国共统一战线，一致抗日。

　　1937年7月7月夜间，日本侵略军向北京西南的卢沟桥进攻，发动蓄谋已久的全面侵华战争。中国军队奋起抵抗，全国性的抗日战争从此爆发。不久，日军调集大批援军，向北京、天津发动大规模进攻。7月底，两地相继沦陷。接着日军又大举进攻上海，蒋介石调集他最精锐的部队在上海及其周围地区和日本军队进行了三个月的激战。国民党军全力以赴，奋勇抵抗，坚守到最后一刻，这一战役中方伤亡达25万人。11月，上海失陷。1937年12月，日军攻陷国民政府首都南京。国民政府迁往重庆。

1　关内：Inside Shanghaiguan
2　如入无人之境：like entering an place without anyone
3　傀儡：puppet
4　攘外必先安内：pacifying the internal before resisting foreign aggression
5　兵谏：armed remonstrance
6　西安事变：Xi'an Incident, During the Second Sino-Japanese War, Generalissimo Chiang Kai-shek refused to ally with the CCP to fight against the Japanese, and instead opted to fight both at once. KMT generals Zhang Xueliang and Yang Hucheng kidnapped Chiang Kai-shek and forced him to join a united front with the Communists against the Japanese. Even though the ceasefire was in effect, the armies were never under a united command, and the KMT never fully cooperated with the military forces of the CCP. After the war, Zhang was placed under permanent house arrest by Chiang and was brought over to Taiwan along with the retreating KMT forces. Yang was murdered by Chiang's secret police, along with his family.

日军占领南京后，对南京人民进行了血腥大屠杀，犯下了滔天[1]罪行。南京的和平居民，有的被当作练习射击的靶子，有的被当作拚刺刀的对象，有的被活埋。据战后远东国际军事法庭统计，日军占领南京后6周之内，屠杀手无寸铁的中国居民和放下武器的士兵达30万人以上。南京城变成一片废墟。外国新闻界广泛报道了这次灾难，他们称之为"南京大屠杀[2]"。

在接下来的一年中，日军牢牢地控制了整个华东地区。他们在这些地区建立起傀儡政权，由汉奸[3]出任政府首脑。国民政府撤至重庆后，战争陷入僵局。这种状态一直持续到1944年日本再度发动攻势。

在日本侵略的最初几年里，国民党与共产党确实进行过名副其实[4]的合作。但在1941年1月，共产党的新四军因为没有迅速地按命令撤到长江以北而招致国民党军的攻击。仅战死的大约就有3,000人，此外还有多人在被捕或解往监狱后被杀。这一事件被称为"皖南事变"。此后，国共合作大体上宣告终结。国民党对共产党在陕北延安的根据地实行封锁，导致这一时期根据地的武器和食物都极度匮乏。

在日本侵略军疯狂进攻中国的同时，中国共产党领导的军队深入敌后，广泛开展独立自主的游击战争，创立一个又一个敌后抗日根据地。由于战线的拉长，日军显得兵力不足而只占据了主要城镇，也在铁路沿线布置了防务。这些都为抵抗力量的隐藏和游击队员的活动提供了足够的空间。民兵采用地雷战、地道战等独特的战斗方法，人民群众不分男女老少，一齐上阵杀敌。日本侵略者陷入人民战争的汪洋大海。

1944年到1945年初，世界反法西斯战争节节胜利，德国在欧洲的失败已成定局。日本在太平洋战争中也遭到美国的沉重打击，陷入困境。世界反法西斯战争的胜利发展，鼓舞着中国人民的抗日斗争。1944年初，中国共产党领导抗日根据地军民开始局部反攻，并取得一系列胜利。日军被迫龟缩[5]到各铁路沿线的一些较大城市里，完全处在人民军队的包围之中。

---

1 滔天：monstrous

2 南京大屠杀：The Nanjing Massacre, also known as the Rape of Nanjing and sometimes in Japan as the Nanjing Incident, refers to what many historians recognize as widespread atrocities committed by the Japanese army in and around Nanjing, China, after the capital's fall to Japanese troops on 13 Dec, 1937 in the Battle of Nanjing during the Second Sino-Japanese War (1937-1945) (later to become a part of World War II). War crimes committed during this episode include looting, rape, and the killing of civilians and prisoners of war.

3 汉奸：traitor

4 名副其实：be worthy of the name

5 龟缩：withdraw into passive defense

　　1945年8月，美国向日本的广岛[1]、长崎[2]投掷两枚原子弹[3]；苏联政府发表对日宣战的声明，派遣苏联红军进攻驻中国东北的日军。与此同时，中国军队也开始发动大反攻。8月15日，日本帝国主义被迫宣布无条件投降。八年抗日战争，中国人民终于取得了伟大胜利。

思考题：

❶ 中国人民是如何取得抗日战争的伟大胜利的？

❷ 你对抗日战争期间国共关系怎么看？

解放战争

　　抗日战争结束后，美国帮助国民党空运了11万军队到上海、广州等主要港口城市，还出动美军帮助占领北京和天津。

　　蒋介石发动内战的方针早就定了。但是，为了进一步赢得准备内战的时间，他接连三次打电报，邀请毛泽东[4]到重庆商谈国内和平问题。1945年8月，毛泽东在周恩来等的陪同下到达重庆，同国民党进行谈判。在谈判期间，蒋介石下令国民党军队向共产党控制的解放区进攻，但被击退。经过43天的谈判，10月10日，国民党被迫同中国共产党签订国共双方代表《会谈纪要》，也就是著名的《双十协定》。协定规定，坚决避免内战，在和平、民主、团结、统一的基础上，建设独立、自由、富强的新中国。《双十协定》签订一个星期以后，共产党按协议把人民军队撤到长江以北。但是，国民党拒不执行《双十协定》。在协定签订后的第三天，蒋介石又下达"剿匪"密令，命令国民党军队进攻解放区。

　　蒋介石政府的举动激起全国人民的义愤[5]。国民党统治区人民反内战运动迅速高涨起来。国民党派军警血腥镇压了昆明西南联大的学生和教职员争取联合政府和反内战的运动，接着又暗杀了一位领头的爱国教授闻一多。全国范围的

---

1 广岛：Hiroshima
2 长崎：Nagasaki
3 原子弹：A-bomb
4 毛泽东：Mao Zedong (1893–1976), Chinese Communist leader and theorist. A founder of the Chinese Communist Party (1921), he led the Long March (1934–1935) and proclaimed the People's Republic of China in 1949. As party chairman and the country's first head of state (1949–1959) he initiated the Great Leap Forward and the founding of communes. He continued as party chairman after 1959 and was a leading figure in the Cultural Revolution (1966–1969). In the 1970s he consolidated his political power and established ties with the West.
5 义愤：indignation

反内战示威游行证实了中国的自由主义知识分子对法西斯主义的国民党政府的普遍不满。

1946年6月，国民党军队20多万人，对中原解放区发动进攻。全面内战爆发了。

国民党的不得民心很快就显示出来了。从40年代初期，国民党就对通货膨胀逐渐失去控制力，其统治区物价暴涨，城市居民越发失去信心；农民不仅要交纳高额地租，还要负担100多种苛捐杂税[1]；贪官污吏[2]则乘通货膨胀之际大发横财[3]。人们普遍认为国民党官兵只会攫取自己的利益，完全不为民众的利益着想，希望国民政府早日垮台。

战争一开始，国民党军队对全国各个解放区发动了全面进攻。战场主要是在解放区内。解放军以运动战为主要作战方法，收缩防守，拒绝迎战，以避免伤亡。这样一来，他们就迫使国民党在典型的游击战略[4]中过度拉长战线。他们只在集中优势兵力时才打击国民党的少数部队。国民党曾占领延安和张家口的中共临时政府所在地。中共领导曾在国民党军队胜利进军中率领少量部队游击于陕西北部。国民党重占了苏北和东北的大部分县城。他们对根据地大肆破坏，屠杀亲共的民众。

东北的战役，解放军是由运动战的能手林彪[5]指挥的。林先将他的部队撤到松花江以北的北满一带，然后在1947年越过松花江突击几次，将国民党军队切割在几个不同地段。不久国民党军就被孤立起来，困守在几个城市里。

当中共在1947年夏季开始转入反攻时，解放军不但很快控制了山东，而且恢复了黄河和长江之间、西边的京汉铁路和东边的津浦铁路之间的广阔的根据地。这就使他们处于威胁整个长江流域的战略位置。

在国民党方面，当蒋介石有机会撤出主要城市的守备部队时，他不愿这样做。结果是他的最精锐部队被围困和孤立后，连同装备一块投降。人民解放军凭借优越的战略战术，不但完全打垮了国民党守卫者，而且使他们丧失了士气。当解放军于1949年1月最后包围北京之后，国民党司令官决定同他的所有军队一块投降。

4月21日，毛泽东向人民解放军下达进军的命令。等候在长江北岸的百万军队分三路渡江作战，国民党的长江防线顷刻[6]崩溃。23日，人民解放军攻克南

---

1 苛捐杂税：exorbitant taxes and levies

2 贪官污吏：malfeasant

3 横财：ill-gotten wealth

4 游击战略：guerrilla war strategy

5 林彪：Lin Biao (1908-1971), Chinese political leader. He fought to achieve a Communist takeover in China (1949) and became minister of defense (1959). Lin Biao compiled Quotations from Chairman Mao Zedong, the well-known "Little Red Book".

6 顷刻：instantly

京。蒋介石及其大部分部队撤往台湾，在那里重建了他们的政府。

　　共产党通过内战上台执政基本上是众望所归[1]的结果。正是由于有了全国民众的支持，解放军才能够在三年多的时间里，打败了装备精良的国民党军队。1949年10月1日，毛泽东作为共产党的领导人宣告中华人民共和国成立。

思考题：

❶ 为什么共产党在解放战争中取得了对国民党的胜利？

❷ 你如何评价蒋介石这个人？

新中国

　　随着共产党在内战中的胜利，中国再度统一在一个强有力的中央政府之下。

　　1949年9月，中国人民政治协商会议[2]第一届全体会议在北京隆重举行。大会制定了起临时宪法作用的《中国人民政治协商会议共同纲领[3]》，选举了中华人民共和国中央人民政府委员会，选举毛泽东为中华人民共和国中央人民政府主席。10月1日，中央人民政府委员会举行第一次全体会议，国家领导人宣布就职，任命周恩来为国务院总理兼外交部部长。同日，在首都北京天安门，举行了开国大典[4]，宣告中华人民共和国正式成立。

　　建国后，共产党的经济目标是实现经济的恢复和重构。新政府接管银行，控制货币和信贷，不到一年通货膨胀得到了抑制。同时新政府还对包括铁路和对外贸易在内的主要工业部门实行控制。1951年2月，政府发动了"五反[5]"运动，以此来清除少数仍在控制私营企业的不合作的资本家。政府逐渐掌握了更多的工厂，并将仍在私人手里的小工厂、商店和餐馆纳入政府控制之下。

　　工业的发展完全是按照苏联的模式进行的，即以重工业为主。中国不断派人到苏联进修[6]，苏联也派出约一万名技术人员到中国援建苏联设计的重工业

---

1 众望所归：enjoy popular confidence
2 中国人民政治协商会议：the Chinese People's Political Consultative Conference (C.P.P.C.C.)
3 纲领：creed
4 大典：big ceremony
5 五反：The movement, begun in 1952,against the "five evils" (bribery of government personnel, tax evasion, theft of state property, cheating on government contracts and stealing economic information)
6 进修：attend in a advanced studies

项目。按1953年－1957年五年计划所做的规划：钢产量要翻两番[1]，电力和水泥翻一番[2]。

在农村，新政府分阶段实现农业集体化[3]。首先，使农民组成互助组[4]；然后成立生产合作社[5]。农民把土地和农具都合拢起来，并按比例取得报酬。第三阶段是高度集体化的联合合作社，所有农民劳动都只赚工资，原来投入的财产、设备或土地一概不算收入。

新政府成立不到一年，中国就卷入了朝鲜战争[6]。第二次世界大战后，以北纬38°线为界，朝鲜被一分为二，三八线以北在苏联的控制下，以南在美国的控制下。1950年6月，朝鲜战争爆发。美军越过三八线，一直打到中国与北朝鲜的边界鸭绿江畔。中国政府派出250万军队，几乎全部的坦克和半数以上的飞机、大炮赴朝鲜作战。11月下旬，他们突袭了美军并将其压迫到汉城以南。此后战争陷入僵持状态，直到1953年双方才开始和谈。

朝鲜战争巩固了中国共产党在中国的合法地位，挫败了帝国主义的进攻。但中国也付出了巨大的代价。除惨重的战争伤亡外，中国还因此失去了许多同国内外不同政治力量和解的机会。美国从此把中国当做冷战对象，对其实行经济封锁。

到1957年，毛泽东感到苏联的模式不够好了，觉得中国必须凭借其劳动力资源丰富的优势，寻求一条更快捷的现代化道路。他开始提出"大跃进[7]"的口号，要通过中国人民的艰苦奋斗，使中国从贫困走向富强，15年内中国的工业产量将超过英国。1958年5月中国共产党正式发动了"大跃进"运动。在生产发展上追求高速度，以实现工农业生产的高指标。要求工农业主要产品的产量成倍、几倍、甚至几十倍地增长。各地纷纷提出工业大跃进和农业大跃进的不切实际的目标，片面追求工农业生产和建设的高速度。在农业上，提出"以粮为纲[8]"，

---

1 翻两番：fourfold
2 翻一番：double
3 集体化：Collectivization
4 互助组：mutual aid team
5 合作社：artel
6 朝鲜战争：Korean War, a conflict that lasted from 1950 to 1953 between North Korea, aided by China, and South Korea, aided by United Nations forces consisting primarily of U.S. troops.
7 大跃进：Great Leap Forward, Chinese economic plan aimed at revitalizing all sectors of the economy. Initiated by Mao Zedong, the plan emphasized decentralized, labor-intensive industrialization, typified by the construction of thousands of backyard steel furnaces in place of large steel mills. Wildly unrealistic planning, poorly planned communization of agriculture, and a poor harvest in 1959 caused mass starvation.
8 以粮为纲：focus on food supplies

不断号召"高产卫星[1]"、"人有多大胆，地有多大产[2]"，宣传中甚至出现了亩产12万斤的神话；在工业上，错误地确定了全年钢产量1,070万吨的指标，全国几千万人掀起了"全民大炼钢铁运动"，公社、工厂、学校及其它单位都纷纷建起了"后院钢铁厂"进行小规模土法炼钢。由于硬要完成那些不切实际的高指标，必然导致瞎指挥盛行，浮夸风[3]泛滥，群众生活遇到了严重的困难。

"大跃进"打乱了国民经济秩序，浪费了大量的人力物力，造成了工农业比例严重失调。在运动进行了一年之后，连毛泽东都开始号召大家采取较为理性的方法，制定更为实际的目标。大跃进使众多的劳动力脱离农业生产，也加剧了其他计划性错误所造成的破坏，致使此后几年粮食严重短缺，并于1960年— 1962年爆发了饥荒。

思考题：

❶ 中国在朝鲜战争中有什么样的得失？

❷ 你对"大跃进"怎么看？

土地改革运动

抗日战争胜利后，中国共产党为适应广大农民的土地要求，消灭封建土地所有制，实现"耕者有其田"，于1946年5月4日发出了《关于土地问题的指示》，要求各级党委以最大的决心和努力，放手发动群众，消灭封建剥削，解决农民的土地问题，并在指示中规定了解决土地问题的各项原则。"五四"批示下达后，晋察冀[4]、晋冀鲁豫[5]中央局于1946年7月分别发出关于执行"五四"指示的决定。各区党委都召开了区党委扩大会议，贯彻执行这一批示。在察哈尔[6]地区，于同年6月开始，在进行试点、取得经验之后，8月即全面铺开。冀晋老解放区和冀南新解放区，由于军事情况的变化，于11月开始土改。冀中区于同年8月开始。冀东区由于战争影响较大，只在部分县区进行。

---

1 高产卫星：high production
2 人有多大胆，地有多大产：The production of land depends on man's guts.
3 浮夸风：exaggeration
4 晋察冀：the shortened form for Shanxi, Province, CaHa'er and Hebei Province
5 晋冀鲁豫：the shortened form for Shanxi, Hebei, Shandong and Hebei provinces
6 察哈尔：An old name for a province, now part of Hebei, Inner Mogolia and Shanxi province.

　　到1946年冬，河北各解放区凡是环境许可的地方，土改运动都开展起来了。1947年2月，晋察冀中央局召开土改工作汇报会议，对"五四"指示以来的土改运动进行了认真总结，在肯定成绩的同时找出了不足之处，提出了进行复查的任务。会后，冀中、冀晋、冀东、察哈尔等地开始了土改复查。为了更深入地发动农民群众，彻底实现土地改革，以满足农民的土地要求，1947年9月中共中央在平山县西柏坡村召开了全国土地会议。这次会议总结了"五四"以来土地改革的经验，并在9月13日通过了《中国土地法大纲》，10月10日由中共中央公布实行。全国土地会议后，在11月至12月间河北省各区党委都相继召开了土地会议，传达、贯彻了全国土地会议和《中国土地法大纲》的精神，检查、总结了执行"五四指示"中的成绩、经验和缺点，并根据本区的具体情况规定了土改的步骤、方法以及各项具体政策。同时，又抽调[1]大批干部组成整党土改工作队，同党中央派来的工作团一起深入农村，领导土改运动。工作队进村后，召开党员大会进行动员，深入群众，了解情况，一面开展整党，整顿[2]党的基层组织，充分发挥党的基层组织的战斗堡垒[3]作用，一面组织贫农团[4]和新农会[5]，没收地主的土地，和地主阶级进行斗争。

　　自整党土改工作队进村后，经过几个月的工作，取得了很大成绩，提高了广大党员的阶级觉悟，建立了一批为群众拥护的新的党支部，广大农民群众踊跃加入了贫农团和新农会，打垮了地主恶霸[6]在乡村中的威风和权势。

　　但是，土改运动也犯有不同程度的"左"的错误，有的地方把党支部一脚踢开，有的打死人过多，有的将地主扫地出门，不给生活出路等。土地改革是一场群众性的大规模的阶级斗争，容易造成失控局面。党中央及时纠正了这些偏向，并于1948年2月，发出了《中共中央关于在老区半老区进行土地改革工作与整党工作的指示》，要求在土地已经平分的地区，用抽补方法调剂土地及一部分生产资料。对土地改革尚不彻底和很不彻底的地区，如何进行调剂和平分都做了明确指示。同时，党中央又发出了怎样分析农村阶级的两个文件。之后，河北省各解放区根据中央指示精神，针对本区土改较为彻底、尚不彻底、很不彻底等三种不同情况采取不同的方法进行了工作。最后，确定地权，颁发了土地证。

---

1 抽调：to transfer
2 整顿：to consolidate and reorganize
3 堡垒：fortress
4 贫农困：the Poor Peasant League
5 新农会：New Peasant Committee
6 恶霸：local tyrant

到1948年夏，河北各解放区的土地改革运动取得伟大胜利。冀中区和北岳[1]区除边沿村外，在能进行土改的150,066个行政村，1,068万人口的区域中，已有90%以上的地区达到了土地大体平分；原热河有80%的地区农民共分得土地240万亩；冀南、冀东、渤海地区，经过土地改革运动，贫雇农[2]均获得了大量土地财产。土地改革运动使广大农民在政治上、经济上翻了身，大大解放了生产力，使广大农村出现了欣欣向荣的新局面。

1950−1952年期间的土地改革运动在指导思想和具体政策步骤方面同1946年开始的土改运动相比有相当大的变化。1949年10月以前，中国共产党在大约有1.19亿农业人口的解放区实行了土地改革。1949年冬天，在新解放的一些地区，主要是华北一些城市的近郊和若干地区，加上河南的一半地区，总共有0.26亿农业人口的地区完成了土地改革。1949年3月的中共七届二中全会规定，将来在南方新解放区，必须"首先有步骤地展开清剿土匪和反对恶霸即地主阶级当权派的斗争，完成减租减息[3]的准备工作"，以便在一二年后"实现减租减息的任务，造成分配土地的先决条件"。1949年9月的"共同纲领[4]"规定，新中国将"有步骤地将封建半封建的土地所有制改变为农民的土地所有制"。新解放区的土地改革，是中共预定在全国解放后必须完成的计划。

土地改革是中共在民主革命时期的政策路线，也是它获取农民支持的基本手段。建国以前的土地改革，被作为民主革命的主要任务之一。中国共产党认为，只有农业生产能够大发展，新中国的工业化能够实现，全国人民的生活水平能够提高，并在最后走上社会主义的发展道路，农民的穷困问题才能最后解决。这是中共在指导思想方面的变化。

南方新区土地改革的启动是在1950年6月。当月14日，中国共产党在政协一届二次会议上，提出1950年冬天完成土改的地区大约一亿农业人口，1951至1952年是1.64亿农业人口的大部分地区，余下0.2亿人口的少数民族地区暂不进行土改。1950年6月28日，中央人民政府委员会第8次会议通过了"中华人民共和国土地改革法"。

新区土地改革既延续了建国以前土地改革的基本政策方法，又在某些方面有所调整。新区土改继续执行了广泛发动农民群众的方针，但是规定必须在各地政府或军政委员会的严密领导之下进行，农民协会是在官方严格控制下执行

1 北岳：One of the five famous mountains, North Mountain – the Heng Mountain.
2 贫雇农：poor peasants and farm labourers
3 减租减息：reducing rent and interest
4 共同纲领：the common guiding principles

土改计划，并且明确规定不再如同1947年那样广泛组织贫农团之类的容易滋生过火行为的组织；土地改革法规定，少数民族地区不进行土改；经当地回民[1]的同意，清真寺[2]的土地可以酌情保留；土改法也不适用于城市郊区。

新区土地改革1952年基本结束。据当年9月下旬的统计，建国以来的三年中，约在有3亿农业人口的地区完成了土地改革。加上建国以前完成土改的老解放区，全国有90%以上的农业人口完成了土改。除了新疆、西藏以外，只剩下大约3,000万农业人口的地区，留待1952年冬天至次年春天进行。新区土改是一场巨大的社会变革。它结束了中国两千多年的地主土地所有制，实现了全体农民的平均占有土地的土地制度。通过土改，获得经济利益的农民约占农业人口的60-70%，连同老解放区全国大约3亿农民分得了大约7亿亩土地，由此每年免除地租3,000万吨粮食。农民的生产积极性空前高涨起来。据统计，1951年全国粮食产量比1949年增加28%；1952年比1949年增加40%左右，超过抗战前最高年产量9%。棉花等工业原料作物的产量1951年即已超过历史最高年产量。通过土地改革，新政权获得了农民的高度信任，使他们成为其稳定的社会基础。

思考题：

❶ 解放前老区土地改革取得了哪些成绩，存在哪些不足？

❷ 请简述新区土地改革的意义。

文化大革命[3]

60年代中期，毛泽东认为：共产党内出现了"走资本主义道路的当权派[4]"，党内有一个"资产阶级司令部"，相当多单位的领导权已经不在人民手里。为了解决这个问题，以巩固无产阶级专政、坚持社会主义道路，毛泽东决定发动"文化大革命"。

1966年夏，中共中央发出开展"文化大革命"的通知。接着，毛泽东写了

---

1 回民：the Huis; the Hui people
2 清真寺：mosque
3 文化大革命：The Cultural Revolution (1966–1976), a comprehensive reform movement in China initiated by Mao Zedong to eliminate counterrevolutionary elements in the country's institutions and leadership. It was characterized by political zealotry, purges of intellectuals, and social and economic chaos.
4 走资本主义道路的当权派：capitalist roader

《炮打司令部[1]》的大字报，实际上指出刘少奇[2]、邓小平[3]是所谓的党内"资产阶级司令部"的代表人物。毛泽东的妻子江青[4]在新成立的文化革命领导小组中担任了一个重要角色。在此之前她没有在政坛上担任过任何职务，而此刻她却被广泛地视为年已七旬的毛泽东的代表。

　　毛泽东发动了"红卫兵[5]"运动，连续接见外地来的红卫兵。"知识青年"（中等学校以上毕业生）公开发动起来，所有的教育系统和党的机关都关闭了。在1966年8月到11月间，全国各地的红卫兵在人民解放军后勤部队的支援下，免费乘火车来到北京。他们汇集到天安门广场，在那里接受了6次大检阅[6]。这些红卫兵的手里都挥舞着红色的小册子《毛主席语录》[7]。红卫兵在全国的城市里横冲直撞，"消灭四旧"（旧思想、旧文化、旧风俗、旧习惯）。中国的文明事业和器物，如书籍、庙宇、艺术品等遭到盲目的破坏。

　　从1967年1月到1968年中期，红卫兵开展夺权行动，政府实际处于瘫痪[8]状态。红卫兵的各派别间不断爆发"武斗[9]"，甚至动用军火，国家濒临内战的边缘。交通通讯开始中断，城市的消费品也发生了短缺。直闹到1968年中期，毛泽东命令人民解放军出面恢复秩序，他解散了红卫兵，其成员很快被派往农村进行劳动。

　　毛泽东及其他领导人号召组建革命委员会来取代党的机构。在有些地区，军队迅速地成为统治力量。然而实行军管[10]并不意味着暴力的结束。军队在知识分子和党员中搜寻特务和敌对分子，成千上万的人遭逮捕并用刑，有的甚至被处决。由此，文化革命又进入了全国范围的恐怖之中。

1　炮打司令部：Bombarding the Headquarters

2　刘少奇：Liu Shaoqi (1898-1969), chairman of the People's Republic of China (1959-1968) and chief theoretician for the CCP, who was considered Mao Zedong's heir apparent until he was purged in the late 1960s.

3　邓小平：Deng Xiaoping, (1904–1997), one of the old guard of the CCP. He became the party's Secretary General in 1954, but was purged by Chairman Mao in 1966 for his strong objections to the excesses of the Great Leap Forward. By 1974 Deng had been "rehabilitated" and returned to power. After Mao's death, Deng was the de facto leader of China until he finally expired in 1997.

4　江青：Jiang Qing (1914-1991), the third wife of Mao Zedong, was a Chinese political leader most famous for forming the Gang of Four.

5　红卫兵：The Red Guards. Most of them were politically active students of the Cultural Revolution (1966–1969), who organized units to carry out Mao Zedong's aim of revolutionizing Chinese society. As their numbers grew, the units engaged in factional struggles, and in 1968 Mao suppressed the movement.

6　检阅：parade

7　《毛主席语录》："Quotations from Chairman Mao Zedong" is better known in the West as "The Little Red Book". As its title implies, it is a collection of quotations excerpted from　Mao's past speeches and publications. The book's alternative title The Little Red Book was coined by the West for its pocket-sized edition, which was specifically printed and sold to facilitate easy carrying.

8　瘫痪：paralysis

9　武斗：resort to violence

10　军管：military control

　　1971年，国防部长林彪因为害怕毛泽东对他进行反击而决定刺杀毛泽东。阴谋计划泄露后，决定逃亡苏联。他乘坐的飞机因燃料用尽坠毁于蒙古境内。此后军队的支配地位削弱了。

　　文化革命期间的对外关系方面，中国最担心的是苏联入侵。林彪倒台之后，形势更加复杂多变。周恩来开始寻求某种渠道来增进中国与美国的联系，以便使美国成为制衡[1]苏联的力量。1972年，应周恩来的邀请，美国总统尼克松访华。

　　1973年，周恩来因患癌症而病倒，但他还是尽力使许多遭到迫害的领导人重返政坛，重新担任重要职务，这些领导人里就包括邓小平。1976年1月，周恩来逝世。4月，北京的居民自发汇集到天安门广场，悼念周恩来。江青一派则把这一事件定为"反革命"事件，并诬蔑邓小平是这次运动的后台，乘机撤消其一切职务。同年9月，毛泽东去世，江青等"四人帮[2]"遭到逮捕。在1980年-1981年的公审法庭上，江青等人因在文化革命中的大量非法行为被判刑。1978年，邓小平第二次掌握政权后，全国大约有300万受害者得以平反[3]昭雪[4]。

思考题：

❶ 毛泽东为什么要发动文化大革命？

❷ 你对文化大革命有什么样的认识？

Reference

剑桥插图中国史（*The Cambridge Illustrated History of China*），〔美〕伊佩霞（Patricia Buckley Ebrey），〔译者〕赵世瑜 赵世玲 张宏艳，山东画报出版社，济南，2001

伟大的中国革命（*The Great Chinese Revolution: 1800-1985*），〔美〕费正清（John King Fairbank），〔译者〕刘尊棋，世界知识出版社，北京，2001

二十世纪中国史，李云峰，西北大学出版社，西安，2003

A Traveller's History of China, Stephen G. Haw, Interlink Books, New York, 2003

---

1 制衡：balance

2 四人帮：Gang of Four, term of opprobrium given by the Chinese Communist authorities to four persons held responsible for the excesses of the Cultural Revolution. They were also accused of trying to seize power after the deaths (1976) of Mao Zedong and Zhou Enlai. The most notable of the Gang of Four was Jiang Qing, Mao's widow. The others were Wang Hongwen, Yao Wenyuan, and Zhang Chunqiao. They were imprisoned in 1976, tried in 1980, and sentenced in 1981. Their sentences ranged from death (later commuted to life imprisonment) to 20 years in prison.

3 平反：redress (a mishandled case)

4 昭雪：exonerate

Topic 2   Geography/Regional

北京

北京是中国的首都，全国的政治、文化中心和国际交往的枢纽，也是一座著名的历史文化名城。

自然环境

北京位于华北平原的西北部，同河北省和天津市相邻。它的西、北和东北都被山围绕着，东南是缓缓向渤海倾斜的大平原。北京四季分明，夏季炎热多雨，秋季晴朗温和，冬季寒冷干燥，而春季雨水少，风沙多，空气质量较差。

近年来，北京春季经常发生沙尘暴，对环境的影响很大。为了改善这一点，国家大力对内蒙古草原、黄土高原和河北相关地区进行环境治理，最近北京的沙尘情况有所好转。

经济发展

北京有3,000多年的城市发展历史，在元、明、清三代它就是中国的都城。中华人民共和国成立后，北京作为首都，各项建设迅速发展，面貌日新月异[1]。它是全国铁路交通的枢纽，有京广（北京到广州）、京沪（北京到上海）、京九（北京到九龙）、京哈（北京到哈尔滨）和京包（北京到包头）等铁路线，从北京可以通往全国各地。它也是国内航空线的中心，并有飞向世界的多条国际航线。同时北京也是中国最大的科学文化中心，有中国科学院、中国社会科学院和其他科研机构，以及北京大学、清华大学等一百多所高等院校；还有规模宏大的国家图书馆、故宫博物院、国家博物馆，军事博物馆、北京天文馆等以及许多体育场馆，如设计新颖、布局和谐的亚运村建筑群。

北京还是中国经济实力最强的城市之一，拥有门类齐全的工业体系。汽车、电子、机械、化工、冶金、建材、纺织、医药、食品等行业在全国同行业中都有一定的优势。金融业、商业服务业、运输业、文化旅游业等第三产业在

---

1 日新月异 (rìxīn yuèyì): change quickly

国民生产中的比重也大大增加。北京已成为全国最大的消费市场和进出口岸之一，主要出口机械电子产品、纺织品、工艺品、中成药[1]等商品。近年来，高新技术产业迅速发展，渐渐成为首都经济的核心。

文化

悠久的历史留给北京珍贵的文化遗产。世界奇迹万里长城在北京地区绵延[2]数百里；如诗如画的颐和园是古代皇家园林的经典作品；故宫是世界最宏大的皇家宫殿群；天坛是中国皇帝祭天[3]的地方，它是中国古代建筑艺术的结晶。以上四处古迹已被联合国教科文组织定为世界文化遗产。而"京味"最浓的则是老北京胡同和四合院，它们历经数百年的风雨，是北京人生活的历史象征。

2008年，举世瞩目的第29届奥运会将在北京举行，来自全世界各国的运动员、教练员和国内外的游客们将会聚北京，那时的北京一定像过盛大的节日一样，成为欢乐的海洋。

思考题：

❶ 请说出北京的地理位置和相邻的省、市。

❷ 请简单介绍北京的经济发展情况。

❸ 为什么说北京是全国铁路交通的枢纽？

❹ 北京有哪些重要的文化遗产？

Reference

Author and year unknown,北京. Wikipedia. Available at:

http://zh.wikipedia.org/w/index.php? title=%E5%8C%97%E4%BA%AC&variant=zh-cn

Author and year unknown. 中国地方概览，北京. Available at:

http://www.china.com.cn/chinese/zhuanti/166591.htm.

---

1 中成药 (zhōngchéngyào)：traditional Chinese patent medicine
2 绵延 (miányán)：be continuous;stretch long and unbroken
3 祭天 (jì tiān)：to offer sacrifice to gods

上海

上海，简称沪，是中国最大的城市，位于长江三角洲的前沿，东边是东海，南边是杭州湾，西边有江苏、浙江两省，北边是黄金水道长江的入海口。黄浦江斜穿市区，向北流入长江。

上海属亚热带湿润季风气候，四季分明。一、二月最冷，最低气温为-5℃至-8℃，通常七月最热，最高气温达35℃—38℃。每年六月中至七月初是梅雨季节。

经济发展

上海是中国重要的经济发展中心。2004年人均国内生产总值(GDP) 6,661美元，居全国第一位。并且，连续十年来，上海每年的经济成长都超过8%。目前上海的经济结构以服务业为主，其中最主要的产业包括金融业、房地产业、保险业以及运输业等。浦东新区是上海的新兴金融中心，中国人民银行上海总部2005年8月在上海成立，全球500强企业中已有部分在此设立了地区总部或分公司。

上海的工业同样发达，工业总产值占全国的十分之一，主要以轻纺、重工业、冶金、石油化工、机械、电子工业为主，其他还有汽车、航空、航天等工业。农业占总体经济的比例较小，大约在1.7%左右。

上海正处在中国南北海岸线的的中点，优越的地理位置使它成为中国水陆交通运输的枢纽。来到黄浦江畔，我们便能看到繁忙的上海港码头。在宽阔的江面上，来自世界各地的大小轮船都停靠在码头上，巨大的吊车忙碌地装卸着货物。从这里乘船，沿长江往西，可以到南京、武汉和重庆；沿海北上，可到青岛、天津和大连，南下可以到达广州和湛江。远洋海轮从上海出发，可以通往世界上许多国家。

除了水运以外，上海还有沪宁、沪杭等多条铁路通往全国各地。在空运方面，浦东、虹桥两大国际机场也将上海与全国各大、中城市以及世界各国连在一起。便利的交通条件更加促进了上海的经济发展。

文化特色

　　上海也是一座历史文化名城。第一次鸦片战争[1]以后，上海在1843年成为通商口岸，开始受到西方文化的冲击。160多年来，上海本土文化与西方文化逐渐融合，形成了独特的"海派文化"。在上海，既有外滩老式的欧式建筑，又有浦东现代的摩天大楼；既有徐家汇大教堂的唱诗声，又有玉佛寺的香烟袅袅[2]；既有群众剧场的沪剧，又有大剧院的交响乐、芭蕾舞；既有老街的茶馆，又有衡山路的酒吧。中与西，新与旧，传统与现代完美地结合在一起。这正是海派文化最大的特色。

思考题：

❶ 请说一说上海的地理位置。

❷ 为什么说上海是重要的经济发展中心？

❸ 为什么说上海是中国交通运输的枢纽？

❹ 上海的文化有什么样的特点？

Reference

Author and year unknown，上海简介，人民网. Available at:

http://www.people.com.cn/GB/14838/35549/35721/38982/3421914.html

Author and year unknown，上海. Wikipedia. Available at:

http://zh.wikipedia.org/w/index.php?title=%E4%B8%8A%E6%B5%B7&variant=zh-cn

---

1 第一次鸦片战争：The First Opium War was fought between Great Britain and the Qing Empire in China from 1839 to 1842 with the aim of forcing China to import British opium. The war finally ended with the signing of the Treaty of Nanjing, under which Hong Kong Island was ceded to the UK, and the Treaty Ports of Guangzhou, Xiamen, Fuzhou, Shanghai, and Ningbo were opened to all traders.

2 袅袅 (niǎoniǎo): curling upwards

广州

广州位于中国大陆的南部，广东省的中南部，是广东省省会，也是华南地区的政治、经济、科技、教育和文化中心。它的北边是珠江三角洲，南边是南海，跟香港和澳门相邻，被称为中国的"南大门"。

广州地处亚热带，属亚热带典型的海洋季风气候。这里夏天不会很热，冬天也不会很冷，温暖但多雨；全年平均气温20－22摄氏度。由于气候温和，土壤湿润，阳光充足，广州一年四季树木常绿、鲜花常开，自古就被称为"花城"。

经济发展

二十世纪七十年代末中国大陆开放后，广州经济发展迅速，2005年全市国内生产总值（GDP）为5,115.75亿元人民币，年增长13%；全市人均GDP接近7,000美元，排在中国内地城市的第一位。

广州是全国重要的工业基地，也是华南地区的综合性工业制造中心。全国40个工业行业大类中，广州就拥有34个。工业在全市国民经济中占有重要地位，工业增加值在全市国内生产总值中的比重超过1/3。2000年以后，广州市政府加大了对重工业的扶植[1]。现在，汽车制造、石油化工和电子通信已成为广州的三大支柱产业。

除了工业之外，广州的对外贸易也很发达。它是中国最早的对外通商口岸。1957年以来，广州每年春秋两季都举办中国出口商品交易会。广州与世界上200多个国家和地区建立了经贸联系，与140多个国家和地区的1,000多家银行发展了金融业务联系，促进了外向型经济的发展。

饮食文化和语言文化

人们都说"食在广州"，广州的饮食文化独具特色，较为闻名，但是也有不少争议与批评。

广州的饮食业非常发达，目前全市饮食企业多达数万家，其中绝大多数都经营"三茶两饭一夜宵[2]"（早茶、下午茶、夜茶和午饭、晚饭、夜宵），全天供应几乎没有中断。广州人喜欢上茶楼饮茶，是全国闻名的。饮茶主要包括了吃点心。广州人清晨见面打招呼时常说"饮早茶了吗？"可见广州人对饮茶的喜

---

1 扶植 (fúzhí)：foster; prop up
2 夜宵 (yèxiāo)：refreshment taken at night; midnight snack

爱。除了有名的粤菜以外，在广州还能吃到来自世界各地的美食。广州每年还举行"美食节"，促进饮食业的发展。

广州饮食最有名而又最受争议的特点是食品用料多样，飞禽走兽[1]几乎无所不有。批评者认为这样的饮食习惯会带来一些健康问题。这也是SARS在广州首先爆发的原因之一。

广州的语言文化也很有特色。广州本地的语言是粤语广州话。目前全世界粤语使用人口大约为8千万。这个数字在中国国内语言使用人口排名中处于第三位。粤语的使用地区非常广，在海外华人社区中应用广泛。

思考题：

❶ 请说一说广州的地理环境。

❷ 广州的经济发展中，比较发达的产业有哪些？

❸ 广州的饮食文化有哪些特色，引起了怎样的批评？

Reference

Author and year unknown, 广州. Wikipedia. Available at:

http://zh.wikipedia.org/w/index.php?title=%E5%B9%BF%E5%B7%9E&variant=zh-cn.

Author and year unknown, 广州概况. Available at:

http://www.gzgo.gov.cn/GzGeneral/index.asp.

东方之珠——香港

香港，全称中华人民共和国香港特别行政区，位于广东省南部，是座美丽的海滨城市，被人们称为"东方之珠"。它由香港岛、九龙半岛和新界地区，以及附近的262个小岛组成，总面积1,011平方千米。香港自古以来就是中国的领土，但是在1842年至1898年间因鸦片战争战败被清朝政府分批割让及租借给英国。中国在1997年7月1日恢复对香港行使主权，并成立了香港特别行政区。

根据中英两国所签订的《中英联合声明》，中国政府对香港实行"一国两

---

1 飞禽走兽 (fēiqín zǒushòu)：birds and beasts

制"政策：主权移交后50年内，中华人民共和国的社会主义制度不会在香港实施，香港将享受到除外交和国防以外所有事务的高度自治权。

自然环境

香港属海洋性亚热带季风气候。冬季清凉且干燥，山地偶尔会出现结霜和下雪现象；春季则温暖潮湿；夏季炎热多雨；秋季凉爽，阳光充足。香港每年5月至9月经常遭到台风及暴风雨的侵袭。

香港市区高楼极多，人口非常稠密，而新界郊区则仍然绿草如茵。因此，市区容易受到热岛效应影响，与郊区的气温有着很大差别。另外，全球变暖的现象，加上香港内部以及邻近地区的汽车及工业所排放的废气，使得香港炎热的日子越来越长，烟霞[1]现象越来越严重，春秋两季也变得不明显。

经济发展

在香港经济发展的历史中，经历了两次经济转型。1950年以前香港经济主要以转口贸易为主，从50年代起香港开始工业化，到1970年，工业出口占总出口的81%，标志着香港已从单纯的转口港转变为工业化城市，实现了香港经济的第一次转型。70年代初，香港的金融、房地产、贸易、旅游业迅速发展，特别是从80年代始，内地因素对香港经济发展产生重大影响，香港的制造业大部分转移到内地，各类服务业得到全面高速发展，实现了从制造业转向服务业的第二次经济转型。

过去20年来，香港整体经济增长超过两倍。人均GDP（2003年为23,030美元）在亚洲仅次于日本。香港的经济实力雄厚，截至2004年8月底，外汇储备为1,185亿美元，居世界第五。香港是亚太地区主要的国际金融、贸易、航运、旅游和信息中心，金融业、房地产业、贸易及物流业占GDP的35%左右。目前香港是世界第十一大贸易实体、第十二大银行中心、第六大外汇交易市场以及亚洲第二大股票市场，拥有全球最繁忙的港口，也是主要的黄金交易中心。香港是世界上经济最开放的地区之一，商品、资金进出自由，连续多年被国际机构评为全球经济最自由及最具竞争力的经济体之一。

---

1 烟霞：haze

文化特色

香港文化的一大特点，就是东西文化的结合。香港地处中国南海沿岸，恰好在东西双方航道之上，因此除原来的岭南文化以外，深受西方文化的影响。而作为一个世界级的商贸中心，香港也对邻近地区的华人文化产生了影响，其中粤剧和粤语流行曲在东南亚地区和中国内地都广为人知。此外，香港的流行文化也受到外界的广泛影响，如20世纪50年代的菲律宾，60年代的英、美两国，80年代的日本，90年代的台湾，以及21世纪的韩国等国家和地区不同时段的文化对香港都有影响。因为香港的文化容易受外地文化的影响，很多人认为它从来没有产生自己的本土文化，因此把它称为"文化沙漠"。

香港文化的另一特点，是它的商业化。香港是一个重商轻文的城市。香港人的工作生活节奏非常快，绝大多数人整日都在为赚钱奔忙，文化在香港只不过是企业、公司赚钱的手段。香港是个百分之百的商业社会，金融和商业大厦占去了香港太多的地面和空间，文化就像香港的绿地一样少。这也是香港被称为"文化沙漠"的原因之一。

思考题：

❶ 请说出香港的地理位置和自然环境特征。

❷ 香港的经济发展过程中，经历了怎样的转型？现在香港的经济结构是怎样的？

❸ 为什么有人说香港是"文化沙漠"？你觉得这种说法对吗，为什么？

宝岛名城——台北市

有一首歌是这样唱的："想想台北也没什么，不过是高楼下面停着汽车。"从这句歌词看来，台北并不是一个很有特色的城市。台北面积不大，只有近三百平方公里，不到上海的一半；人口近三百万，不及上海的四分之一。初到这里的人，会觉得这里不如上海繁华，不及北京宏伟。但是待久了，你会渐渐了解到台北也有它特别的地方。

地理环境

台北市是台湾省最大的城市，位于台湾岛北部的台北盆地中央，四周被台北县包围着。市区西南有新店溪，东北有基隆河。这两条河在台北的西北部交汇成淡水河，向西流入台湾海峡。

台北位于北纬25度线附近，又因为是在东亚大陆与太平洋之间的海岛上，属于亚热带海洋性气候。一年中，夏季长，冬季短，夏季湿热，冬季寒冷而多雨，但很少有低于0摄氏度的气温，一年的平均气温是22摄氏度。7－9月多台风。

台北还有另一个特殊的气候特征：因为市区主要位于台北盆地中，气候也受到盆地地形影响。例如，在夏季，由于盆地周围都是高山，热气不容易排出，市内的气温通常比周围的地区高出1－2摄氏度。

文化特色

台北市是台湾省的文化中心，因为台北市大、中、小学，以及科研机构和图书馆、博物馆、体育馆、影剧院、广播电台、电视台、报社、通讯社、出版社、杂志社的数量和规模均居全台湾第一位。

可是，不管是地道[1]的台北人还是住在台北的外地人，问起他们台北的文化特色是什么，他们往往答不上来。台北的文化是什么？好像什么都有，但又好像少了一点什么。台北真的很难形容与定位[2]。这是因为台北的居民来自许多不同的地区而有着相异的文化背景，如原住民、早期迁徙的闽南人和客家人、最近移居的大陆人，以及荷兰人、西班牙人、日本人等。这些居民在融入台北生活的同时也保留着自己原有的习俗与传统。台北文化的最大特色，就是它具有开放与宽广的包容力，尊重不同的文化并且容易与它们相融合，因此使各种不同的文化在这个地方都能得到呈现。

但是，在台北的多种文化中占有最大比重的还是中国文化。最明显的例子是，走在台北的大街小巷中，你会很快发现，许多街名都散发出令人熟悉的大陆味儿，如广州街、天津路、武汉路、福州路等等。仔细去探究，才知道原来这全是时代的产物。国民党在1949年来台湾时，按照大陆版图的地名给台北的街道重新命名，基本上大陆大一点的城市在这里都能找到相对应的路名。而且，命名是严格按照各地的地理位置，比如说，天津路肯定是在武汉路的东北方向，青岛路也绝对是在广州街的北边。想着中国地图找街名，让来自大陆的旅人面对台北的地图，不但会很快地找到目标，同时还会产生一种亲近感。另外，台北几条东西向的大道分别以忠孝、仁爱、信义、和平命名，还有四维[3]、八德[4]之

---

1 地道 (dìdào)：be out and out

2 定位 (dìngwèi)：define

3 四维：The Confucian four moral pillars of a country, including courtesy (礼), righteousness (义), integrity (廉) and awareness of shame (耻).

4 八德：In one of his lectures on Doctrine of Nationalism, Sun Yat-Sen used eight Chinese characters to cover the most important moral values in China: loyalty and filial piety (忠孝), humanity and love (仁爱), sincerity and righteousness (信义) and love of peace (和平).

类的出自四书五经[1]的路名，一听就是中国人的地方。

经济发展

台北市不但是台湾地区的政治、文化中心，也是最大的工商业中心。在20世纪中后期，台北的经济发生了巨大的改变，由农业经济向工业经济转型并且快速成长，被视为经济奇迹，并且与新加坡、韩国以及香港并称为"亚洲四小龙"(East Asian Dragons)。

从产业结构的特色来看，台北市的经济发展是以服务业为主，工业为辅，而农业只是点缀。具体来说，服务业在台北市整体产业中占90%，当中包括信息、金融、贸易、运输、餐饮、通信、旅游、文化等等。台湾规模较大的工商、金融、贸易等机构的总公司、总部大多集聚于此。台北市的工业发展迅速，目前，这里的主要工业有：电子电器、纺织、食品、机械、化学、造纸、建材、钢铁、冶金等。其中科技产业已经成为台北工业的核心，对经济发展影响深远。台北地区是电脑产业集中的地区，这里有全球最大的笔记本电脑生产基地以及最大的主机板生产基地。而为了发展工商业，台北的农业下降，许多农田被工厂和住宅取代，居民的粮食大多由其他地区提供。

思考题：

❶ 说一说台北的地理位置和气候特点。

❷ 为什么说台北是台湾的文化中心？

❸ 台北是台湾的工商业中心，台北有哪些主要工业？

❹ 台北的产业结构有什么特点？

Reference

少君（2004）三月的台北. *凤凰城闲话*，江苏文艺出版社。

Author and year unknown, 台北. Wikipedia. Available at:

http://zh.wikipedia.org/w/index.php?title=%E5%8F%B0%E5%8C%97&variant=zh-cn.

---

1 四书五经：The Confucian Four Books and Five Classics. The Four Books are Chinese classic texts that Zhu Xi selected, in the Song dynasty, as an introduction to Confucianism, including the Great Learning (大学), the Doctrine of the Mean (中庸), the Analects of Confucius (论语), and the Mencius (孟子). The Five Classics is a corpus of five ancient Chinese books used by Confucianism as the basis of studies. According to tradition, they were compiled or edited by Confucius himself. They are Classic of Changes (周易), Classic of Poetry (诗经), Classic of Rites (礼记), Classic of History (尚书), and Spring and Autumn Annals (春秋).

长江

中国的长江，又叫扬子江，是中国也是亚洲最长的河流，长度大约为6,300公里（3,900英里）。它发源于青藏高原，由西向东流，流经青海、西藏、云南、四川、重庆、湖北、湖南、江西、安徽、江苏、上海这11个省、市、自治区，最后流入东海；它的一些支流还流经甘肃、陕西、贵州、广西、广东、河南、浙江和福建8个省和自治区。

长江及其支流的流域超过180万平方公里（约70万平方英里），占中国陆地面积的18.8%。它的主要支流有嘉陵江、汉江、岷江、雅砻江、湘江、沅江、乌江、赣江、资水和沱江。长江中下游是中国淡水湖分布最集中的地区，主要有鄱阳湖、洞庭湖、太湖、巢湖等。

长江最为壮丽的一段是三峡。它西起四川省奉节县的白帝城，东到湖北宜昌县的南津关，全长193公里，由瞿塘峡、巫峡和西陵峡组成。瞿塘峡长8公里，非常狭窄，最窄处不足100百米，最宽处不过150米，以雄伟险峻著称。巫峡长45公里，是三峡中最整齐的峡谷。西陵峡全长76公里，是三峡中最长的，其特点是江流曲折，水势凶险。

长江三峡蕴藏[1]着非常丰富的水力资源。目前，正在建设的三峡工程是举世瞩目[2]的宏伟工程。三峡大坝位于西陵峡内的三斗坪，设计高度为185米（606英尺），蓄水面积为1,084平方公里，计划2009年完工。大坝的26个发电机组将产生18,200万千瓦的电力，这是世界上最大的水力发电设备。据估计，到大坝完工时，它所生产的电量将占中国用电总需求的10%。三峡大坝建成后将减少长江洪水的发生，从而减少洪水造成的巨大损失。

大坝后的水库将有大约600公里（375英里）长。这就造成了三峡工程最大的难题：移民问题。因为水库将淹没129个城镇，居住在这些城镇的120多万人就需要迁移到别的地方。从1993年三峡工程动工起，当地的居民就陆续搬迁到附近的城镇，或由政府安排到上海、江苏、浙江、安徽、福建、江西、山东、

---

1 蕴藏 (yùncáng)：contain
2 举世瞩目 (jǔshì zhǔmù)：to receive worldwide attention

湖南、广东、四川等省市居住。在移民的同时，政府也投入大量资金进行大规模的基础设施建造和产业建设，目的是改善移民的生活水平。

长江还是一条"黄金水道"，因为它具有极大的航运能力。长江是中国唯一贯穿东、中、西部的水路交通大通道，干流和支流的通航里程的总长达8万多公里，运输量占全国内河水运量的80%以上。可以说，没有长江的航运，就没有长江流域各个省市的经济发展。

除了巨大的发电和航运能力，长江的灌溉能力也让人惊叹。早在2,000多年前，四川的岷江上就修建了著名的都江堰水利工程，用来灌溉[1]农田和防治洪水。新中国成立以来，长江干流和支流上修建了大中小型水库4万多座，全流域灌溉面积达1,300万公顷[2]，占全流域耕地总面积的60%，极大地促进了农业的发展。

思考题：

❶ 请说说长江流经哪些省、市、自治区，主要的支流有哪些。

❷ 三峡大坝建在什么地方？它有什么样的作用？

❸ 三峡工程最大的难题是什么？是怎么解决的？

❹ 为什么说长江是一条"黄金水道"？

❺ 长江对中国经济发展的作用表现在哪些方面？

Reference

Author and year unknown, 长江. Wikipedia. Available at :

http://zh.wikipedia.org/w/index.php?title=%E9%95%BF%E6%B1%9F&variant=zh-cn.

Author and year unknown, 长江概况. Available at:

http://changjiang.whlib.ac.cn/hscj/cjgk.htm.

---

1 灌溉 (guàngài)：irrigate
2 公顷：Hectare, 1 hectare= 0.01 km^2.

认识黄河

　　黄河是中国第二大河，全长5,464公里。它发源于青藏高原巴颜喀拉山脉，流经青海、四川、甘肃、宁夏、内蒙古、山西、陕西、河南、山东9个省、自治区，呈"几"字形，向东注入渤海；沿途汇集了40多条主要支流，流域面积达75万多平方公里。由于黄河的中游河段流经广大的黄土高原地区，因此许多支流夹带大量泥沙流入黄河，使它成为世界上含沙量最多的河流，所以我们看到的河水是黄色的。这也是黄河名字的由来。

　　黄河流域有雄伟的山川，肥沃的土地，丰美的牧场，富饶的矿藏。这块土地可以说是中华文明的摇篮，中国古代的灿烂文化就是在这里创造出来的。

　　黄河上游经过青藏高原和内蒙古高原。那里气候干旱，雨水稀少，黄河的水源主要来自于高山冰雪融水和地下水，河水比较清。所以在那个地区，黄河水一直被用来灌溉土地。

　　黄河中游经过黄土高原，从山西和陕西两省之间的晋陕峡谷中穿过。峡谷两岸有很多支流汇入黄河。这些支流从黄土高原上带来大量的泥沙，使黄河水变得非常浑浊。根据计算，黄河每年从黄土高原带下来的泥沙有十几亿吨。因为中游这一段水流很急，大部分泥沙被带到了下游。

　　黄河的下游从华北平原上流过。这里河道宽阔，水流缓慢，河水中的泥沙大量沉积下来，使河床不断抬高，水面也就跟着上升。为了防止洪水，人们在黄河两岸修建了河堤。水面越来越高，河堤也跟着越建越高。自河南郑州起，河床平均比两岸地面高出4－5米，有的地方甚至高出达10米，成为世界闻名的"地上悬河"。这一段高出地面的河水是非常危险的。因为全靠河堤挡水，一旦河水猛涨，冲破河堤，就会淹没周围的农田、村庄和城镇。在历史上，黄河曾经多次决口[1]，给两岸的居民造成极大的灾难。

　　因此，中国政府采取了一系列措施来治理黄河。在下游，加固黄河大堤，使它不容易被洪水冲决。在中游的黄土高原地区，政府正在大力推广植树种

---

1 决口 (juékǒu)：(of a dyke, etc.)be breached; burst

草，开展水土保持[1]工作。这样可以减少流入黄河的泥沙，也就减轻了黄河下游的泥沙淤积[2]。另外，在黄河中游的很多峡谷，如青铜峡、刘家峡、三门峡也在修建水利工程。2003年，在河南建成的小浪底水利枢纽，是黄河中游最下端的重要控制工程。这些水利工程的主要功能是防治洪水、减轻泥沙淤积，同时还可以灌溉、供水和发电。

思考题：

❶ 黄河从哪里发源，流经哪些省区？

❷ 黄河最大的危害是什么？造成危害的原因是什么？

❸ 政府采取了哪些措施治理黄河？

Reference

Author and year unknown, 黄河. Wikipedia. Available at:

http://zh.wikipedia.org/w/index.php?title=%E9%BB%84%E6%B2%B3&variant=zh-cn.

Author and year unknown, 黄河综述, 黄河网. Available at:

http://www.yrcc.gov.cn/lib/dhgl/2002-12-20/jj_15042824843.html.

Topic 3　Socio-economic/Socio-cultural

春节

　　春节，是中国民间最隆重、最热闹的一个传统节日。过春节也称为"过年"，它不仅历史悠久，涉及十几个民族，而且持续时间长。传统意义上的春节从腊月[3]初八或腊月二十三开始，一直到正月[4]十五，其中除夕[5]和正月初一是春节的高潮。春节活动形式很丰富，主要有吃腊八粥、过小年、祭[6]祖、祭灶、扫尘、买年货、贴春联[7]、放鞭炮、除夕守岁、拜年等等。

---

1 水土保持 (shuǐtǔ bǎochí)：the conservation of soil and water
2 淤积 (yūjī)：accumulation of mud; sedimentation
3 腊月：the twelfth month of the lunar year
4 正月：the first month of the lunar year
5 除夕：the New Year's Eve
6 祭：offer a sacrifice to
7 春联：Spring Festival couplets (pasted on gateposts or door panels); New Year scrolls

关于春节，民间流传着很多有趣的故事：

很早很早以前，有一种怪兽叫"年"，它长相恐怖，生性凶猛，专门吃人和各种各样的动物。"年"每隔三百六十五天到人们居住的地方出现一次，时间都是在天黑以后。等到天亮，就回到山林中去。"年"来的时候，总有一些人和动物被它吃掉，人们都非常害怕。

后来，老百姓们算出了"年"出现的日期，便把这可怕的一夜看作关口，称作"年关"，并且想出了许许多多过年关的办法。比如：每到这一天晚上，每家每户都提前做好晚饭，再把鸡舍、牛栏全部拴好，把院子的前后门都封住，躲在屋里吃"年夜饭"。全家人围坐在一起吃饭表示和睦团圆，在饭前，人们还要供祭祖先，祈求祖先的神灵保佑[1]他们平安地度过这一夜。晚饭后，全家人谁都不敢睡觉，挤坐在一起聊天，以后就逐渐形成了除夕熬年守岁的习惯。因为"年"害怕红色、火光和大的声响，人们就用春联、焰火、鞭炮等把"年"吓跑。

春节传说中还有万年创建历法[2]、贴春联和门神[3]等故事。

在历史发展过程中，中国民间也形成了一些比较固定的庆祝春节的风俗，有许多风俗一直流传到现在。

扫尘[4]。据史料记载，中国在尧舜[5]时代就有春节扫尘的风俗。按照民间的说法，因为"尘"和"陈[6]"发音相同，新春扫尘就是要把一切穷运、晦气[7]扫出门。每到春节到来，家家户户都要打扫屋子，干干净净地迎接新春。

贴春联。春联是对联的一种，因为是春节的时候贴，内容又和新春有关，所以叫春联。每到春节，无论是城市还是农村，为了表达美好的愿望，也为了增加节日气氛，每家都要选一幅大红春联贴在门上。

贴窗花和倒[8]贴"福"字。在民间人们喜欢在窗户上贴上各种剪纸——窗

---

1 保佑：bless and protect
2 历法：calendar
3 门神：door-god
4 扫尘：sweep dust; clean up dust
5 尧舜：Yao and Shun, legendary sage kings in ancient China.
6 陈：old; stale
7 晦气：unlucky; bad luck; encounter rough going
8 倒：reverse

花。窗花不仅增添喜庆气氛，也非常漂亮、实用。剪纸是中国一种很普及的民间艺术，因为它大多是贴在窗户上的，所以也被称为"窗花"。"福"字指福气、福运，寄托[1]了人们对幸福生活的向往，对美好未来的祝愿。人们还利用"倒"和"到"两个字谐音的特点，把"福"字倒过来贴，表示"幸福到了"、"福气到了"。

贴年画。年画是中国的一种古老的民间艺术，反映了老百姓非常朴素的风俗和信仰，寄托着人们对未来的希望。春节贴年画给千家万户增添了许多兴旺欢乐的喜庆气氛。年画也和春联一样起源于"门神"。年画的内容丰富多彩，《福禄[2]寿[3]三星图》、《五谷丰登[4]》、《六畜兴旺[5]》、《迎春接福》等年画，表达了人们祈求幸福的美好愿望。

放爆竹。过春节放爆竹已经有一千多年的历史了。放爆竹是为了驱除鬼神，祈祷丰收、增加节日气氛。中国民间有"开门爆竹"的说法。就是在新的一年到来的时候，家家户户开门的第一件事情就是放爆竹，以哔哔叭叭的爆竹声除旧迎新。放爆竹可以创造出喜庆热闹的气氛，是节日的一种娱乐活动，可以给人们带来欢乐和吉利。

拜年。大年初一，很多人都会早早起来，穿上最漂亮的衣服，走亲访友，相互拜年，恭祝来年大吉大利。春节拜年时，晚辈要先给长辈拜年，祝长辈长寿健康；长辈会给晚辈分发压岁钱，晚辈得到压岁钱就可以平平安安度过一岁。

春节的主要食品有年糕[6]、饺子等。一般在腊月初八以后，家庭主妇们就要开始准备过年的食品了。

年糕因为与"年高"读音相同，加上有多种口味，是许多家庭都要准备的食品。年糕的式样有方块状的黄色、白色年糕，象征着黄金、白银，寄托着人们新年发财的愿望。

"饺子"有多种含义。和面[7]的"和"字是"合"的意思；饺子的"饺"和"交"谐音，"合"和"交"又有相聚的意思，所以用饺子象征团聚合欢；"饺子"又有更岁交子的意思，非常吉利；另外，因为饺子样子像元宝，过年时吃饺子，也有"招财进宝"的含义。在中国北方，亲人们聚在一起高高兴兴地包饺子，是除夕夜的最重要内容之一。

---

1 寄托：place (hope, etc.) on; find sustenance in; repose
2 禄：official's salary in feudal China; emolument
3 寿：longevity
4 五谷丰登：produce good harvests; a bumper grain harvest; a golden [bumper] harvest; an abundant harvest of all crops; The harvests of the five grains were plentiful.
5 六畜兴旺：The domestic animals are all thriving.
6 年糕：New Year cake (made of glutinous rice flour); Spring Festival cake
7 和面：knead dough

思考题：

❶ 中国人怎样筹备和庆祝春节（中国新年）？庆祝的方式和内容怎样反映了中国传统节庆"祁福"、"消灾"、"团圆聚会"的特点？

❷ 简述春节的来历和传说。你认为庆祝春节有什么现实意义？

元宵节

　　农历[1]正月十五日是中国的传统节日——元宵节，元宵节又称为上元节、灯节。

　　元宵节早在2,000多年前的西汉就有了，元宵节的起源跟佛教有关。东汉明帝[2]时期，正月十五日夜晚在皇宫和寺庙里点灯敬佛，士族百姓挂灯。以后这种佛教礼仪节日逐渐形成民间盛大的节日。

　　关于元宵节的来历，民间有几种有趣的传说：

　　传说在很久以前，有很多凶禽猛兽，四处伤害人和牲畜[3]，人们组织起来去打它们。一只神鸟因为迷路降落人间，结果被一位不知情的猎人射死了。天帝[4]极为愤怒[5]，下令在人间放火，把人、牲畜、财产全部烧掉。天帝的女儿不忍心看百姓受难，就偷偷把这个消息告诉了人们。众人听了吓得不知道怎么办才好。后来有个老人家想出个主意，说："在正月十四、十五、十六日这三天，每户人家都在家里张灯结彩[6]、点响爆竹、燃放烟火。这样一来，天帝就会以为人们都被烧死了。"

　　到了正月十四、十五、十六这三天，人间红光一片，响声震天，天帝果然

1　农历：the traditional Chinese calendar; the lunar calendar

2　明帝：Emperor Ming of Han, was an emperor of the Chinese Han Dynasty. He was the second son of Emperor Guangwu of Han. It was during Emperor Ming's reign that Buddhism began to spread into China.

3　牲畜：livestock; domestic animals

4　天帝：Celestial Ruler; God of Heawen

5　愤怒：indignation; anger; wrath; rage

6　张灯结彩：decorate with lanterns and streamers

以为是大火燃烧的火焰，心中大喜。人们就这样保住了自己的生命和财产。为了纪念这次成功，从此每到正月十五，家家户户都挂灯笼、放烟火来纪念这个日子。

东方朔[1]与元宵姑娘的故事也流传很广。相传汉武帝[2]有个大臣[3]名叫东方朔，他善良又风趣。有一天，他发现有个宫女[4]泪流满面准备跳井，慌忙上前搭救，并问她要自杀的原因。原来，这个宫女名叫元宵，因为进入皇宫以后没有机会和家人见面，便想投井自杀。东方朔向她保证，一定想办法让她和家人团聚。

一天，东方朔在长安街上摆了一个占卜摊[5]，不少人向他求卦[6]。没想到，每个人得到的签上都写着"正月十六火焚身"。人们很害怕，纷纷问解除灾害的办法。东方朔说："你们可以让皇帝想想办法。"老百姓拿起东方朔写的红帖，赶紧送到皇宫去报告皇上。

汉武帝看到红贴上写着正月十五长安将有火灾，连忙请来东方朔想办法。东方朔假装想了一想，说："火神[7]君最爱吃汤圆，十五晚上可让宫中的元宵姑娘做汤圆。皇上焚香[8]上供[9]，并让家家做汤圆，一齐敬奉火神君。另外，十五晚上要挂灯，让老百姓进城看灯，满城点鞭炮、放烟火，好像满城大火，这样就可以瞒过玉帝[10]了"。武帝听后，十分高兴，就传下圣旨[11]，命令人们按照东方朔的办法去做。

到了正月十五日，长安城里张灯结彩，非常热闹。宫女元宵也终于和家里的亲人团聚了。热闹了一夜，长安城果然平安无事。汉武帝非常高兴，便下令以后每到正月十五都要做汤圆供奉火神君，全城挂灯放烟火。因为元宵做的汤圆最好，人们就把汤圆叫元宵，把这一天叫做元宵节。后来，元宵节吃元宵便形成了传统。

元宵用白糖、玫瑰、芝麻、豆沙、黄桂、核桃仁、果仁、大枣等作馅，用

---

1 东方朔：Dongfang Shuo was a courtier under the Han emperor Wu. His brash self-confidence and ready wit won him special favour with the emperor. He served a s Gentleman Attendant-in-ordinary then Superior Grand Master of the Palace.

2 汉武帝：Named Liu Che, ascended the throne at the age of 15. He was the fifth emperor of the Western Han Dynasty (206BC-8AD) and reigned from 141BC to 86BC, which is one of the most celebrated periods in Chinese history.

3 大臣：minister (of a monarchy); secretary

4 宫女：a maid in an imperial palace

5 占卜摊：augur booth

6 卦：divinatory symbols

7 火神：(in Chinese mythology) the god of fire

8 焚香：cense

9 上供：offer up a sacrifice

10 玉帝：Jade Emperor-Supreme Deity of Taoism

11 圣旨：imperial edict

糯米粉包成圆形，风味不同，有团圆美满的意思。

元宵放灯的习俗，在唐代发展成为盛况空前[1]的灯市。宋代，元宵灯会无论在规模还是在灯饰的奇幻美丽方面都超过了唐代，而且活动更加民间化，民族特色更强。到了清代，宫廷不再办灯会，民间的灯会却仍然很热闹。

元宵节赏花灯也是一个交朋友的机会，未婚男女借着赏花灯的机会可以为自己选对象。所以有人说元宵节也是中国的"情人节"。

元宵节除了庆祝活动外，还有信仰性的活动——"走百病"。参与这一活动的大多数是妇女，她们一起走墙边、过桥，或者走到郊外，目的是驱病除灾。迎紫姑也是元宵节期间的一项活动。传说紫姑是一个善良、贫穷的姑娘，正月十五那天由于穷困去世了。百姓们同情她、怀念她，有些地方便出现了"正月十五迎紫姑"的风俗。

元宵节的活动越来越多，不少地方增加了耍龙灯、耍狮子、踩高跷[2]、划旱船[3]、扭秧歌[4]、打太平鼓等活动，为节日增添了很多喜庆、欢乐的色彩。

思考题：

❶ 元宵节为什么要观灯、吃元宵？请介绍一下关于元宵节来历的传说。

❷ 元宵节有哪些活动和习俗？你认为在现代社会这些习俗有意义吗？为什么？

清明节[5]

清明是二十四节气[6]之一，也是中国的传统节日，是祭祖和扫墓[7]的日子。按照阳历[8]来说，清明在每年的4月4日到6日之间，正是人们春游（古代叫踏青[9]）的好时候，所以清明节又叫"踏青节"。

---

1 盛况空前：the splendor of the occasion surpassed anything heretofore seen; an unprecedentedly grand occasion
2 踩高跷：walk on stilts
3 划旱船：land boat (a model boat used as a stage prop in some folk dances)
4 扭秧歌：do the yangko dance
5 清明节：Tomb-sweeping Dayt
6 节气：a day marking one of the 24 divisions of the solar year in the traditional Chinese calendar; solar terms
7 扫墓：pay respects to sb. at his tomb
8 阳历：solar calendar
9 踏青：go for a walk in the country in spring

清明节大约开始于周[1]代，已经有二千五百多年的历史。由于清明和寒食[2]的日子接近，而寒食是民间禁火扫墓的日子，寒食和清明渐渐地合为一个。关于寒食，有这样一个传说——

传说晋文公[3]重耳当晋国国君以前，曾经长期在国外流亡[4]，介子推一直跟随着他，对他忠心耿耿[5]。有一次，重耳快要饿死了，介子推为了救重耳，从自己腿上割下了一块肉，用火烤熟了送给他吃。重耳做了国君后，却忘了介子推。后来晋文公想起以前的事，觉得很惭愧，马上派人去请介子推上朝受赏封官[6]。但介子推已经隐居到绵山，不愿意出山。后来晋文公命令人们搜山，但找不到介子推。他又命令人放火烧山，想迫使介子推自己走出来。但是，大火烧了三天后，人们却发现介子推已经抱着一棵树死去了。为了纪念介子推，晋文公下令把绵山改为"介山"，在山上建立祠堂[7]，并把放火烧山的这一天定为寒食节，下令每年这天禁忌烟火，只吃寒食。

此后，寒食、清明成了全国百姓的隆重节日。每到寒食，人们不生火做饭，只吃冷食。每到清明，人们把柳条编成圈儿戴在头上，把柳条枝插在房前屋后，表示对介子推的怀念。

清明节的习俗丰富有趣，主要有以下几种：

扫墓[8]。清明节那天，子孙后代来到亲人的坟墓前，摆上供品[9]，烧香、烧纸钱，磕头拜祭，给坟头添加新土。在城里，人们到公墓的灵堂[10]里，在死去亲人的骨灰盒前献上一束鲜花或一个小花圈，表示哀悼[11]。

荡秋千[12]。这是一项古老而有趣的活动，不仅可以锻炼身体，还可以培养勇敢精神，大人、小孩儿都非常喜爱。

放风筝[13]也是清明时节人们喜爱的活动。过去，有的人把风筝放上天后，就把线剪断，让风筝飞到很远很远的地方，据说这样能除病消灾，给自己带来好运。

---

1 周：the Zhou Dynasty (c. 11th century-256B.C.)
2 寒食：obsolete festival beginning one or two days before Pure Brightness（清明）when only cold food was served for three days
3 晋文公：Duke Wen is summoned as one of the five hegemons (wuba 五霸) of the Spring and Autumn period.
4 流亡：exile; be forced to leave one's native land; go into exile
5 忠心耿耿：keep [be] loyal to; be loyal and devoted (to); be most loyal; be staunch and steadfast; be true as steel; faithfully and conscientiously
6 受赏封官：be rewarded/cited and offered high posts
7 祠堂：ancestral temple
8 扫墓：sweep a grave; pay respects to a dead person at his tomb; visit grave
9 供品：offerings
10 灵堂：mourning hall
11 哀悼：grieve [mourn] over sb.'s death; lament sb.'s death
12 秋千：swing
13 放风筝：fly a kite

踏青又叫春游。清明节期间，春天回到了大地，正是郊游的大好时光。中国民间一直保持着清明踏青的习惯。另外，清明植树的风俗也一直流传到现在。

思考题：

❶ 什么时候是清明节？简述清明节的传说故事。

❷ 清明节有哪些活动和习俗？这些活动或习俗有哪些现实意义？

端午节

农历五月初五，是中国民间的传统节日——端午节。端午也叫端五，端阳。过端午节，是中国人两千多年来的传统习惯。关于端午节的由来，说法很多，有人说是为了纪念屈原[1]；有人说是为了纪念伍子胥[2]，也有人说是为了纪念曹娥[3]等等。其中纪念屈原的说法，流传最广。在民俗文化中，中国老百姓把端午节的赛龙舟和吃粽子等，都和纪念屈原联系在一起。

屈原，是春秋[4]时期楚怀王[5]的大臣。他热爱楚国，为国家做了很多事。后来有人说屈原的坏话，楚王相信了，他免除了屈原的职位，并把他流放到沅[6]、湘[7]一带。在那里，他写下了《离骚》、《天问》、《九歌》[8]等爱国诗歌。公元前278

---

1 屈原：Qu Yuan is one of the greatest poets of ancient China and the earliest known by name. His highly original and imaginative verse had an enormous influence over early Chinese poetry.

2 伍子胥：Wu Zixu, lived in the Chu state. His father and brother were killed by the king. He had to flee to the Wu state and helped the Wu state attack the Chu state. He led the Wu army to capture the capital of the Chu state, Yincheng City. and helped the Wu army defeat the Yue state. He was misunderstood by the Wu king and was forced to kill himself. Before his death, he was very calm and predicted the Wu state would be defeated by the Yue state at last, which proved to become a reality a few years later.

3 曹娥：The pious daughter Cao E who drowned herself in the river in order to save her father. She lived in Shangyu City in the Eastern Han Dynasty. Her father was drowned in the river and his corpse could not be found. Cao Eh, only aged 14, cried along the river all day and all night. She carried her father's body out of the river all by herself.

4 春秋：the Spring and Autumn Period (770-476 B.C.)

5 楚怀王：the king of Chu

6 沅：a river's name

7 湘：a river's name

8 《离骚》、《天问》、《九歌》："Lament", "Heaven", "Nine Songs"

年，秦国军队军进攻楚国国都。屈原眼看自己的祖国被侵略，非常痛苦。五月五日，他抱石投进了汨罗江[1]。传说屈原死后，楚国百姓纷纷划船打捞他的身体，往水里扔粽子、鸡蛋等食品，说是让鱼龙虾蟹吃饱了，就不会去咬屈原的身体了。一位老医师拿来一坛雄黄[2]酒倒进江里，说是要药晕蛟龙水兽，以免伤害屈大夫。因为怕饭团被蛟龙吃掉，人们就用楝树[3]叶包饭，外面缠上彩丝，后来发展成了粽子。以后，在每年的五月初五，就有了龙舟比赛、吃粽子、喝雄黄酒的风俗，人们用这些活动来纪念爱国诗人屈原。

龙舟是指装饰成龙形的船。赛龙舟方式很特别。同一条船上的划船手穿相同的衣服，衣服的颜色和图案都一样，不同船上划船手的服装完全不同。自古代以来，端午节的龙舟赛在江南水乡最多，北方因为地理条件不同，不容易举行龙舟比赛。

最早的粽子叫筒粽，就是把糯米装进竹筒里煮熟，后来改成用艾叶[4]包起来，现在一般用竹叶或者芦苇[5]叶包裹，包成三角、四角等形状，外面缠上丝线。如今，粽子的品种多达上百种，地区不同，用料不同，粽子的风味也各有特色。

除此之外，人们还有在端午节配香囊[6]、挂艾叶[7]、菖蒲[8]的习俗。

在端午节小孩佩香囊，传说是为了避邪[9]，实际上也是用于装饰。香囊可以做成各种各样的形状，非常可爱。端午节到来时，家家打扫院子，人们把菖蒲、艾条插在门框上，挂在厅堂里，女人们则喜欢把它们做成花环、挂件等装饰品佩戴在身上，用来去除瘴气[10]。另外，端午节上山采药，是中国很多民族的共同习俗。

思考题：

❶ 介绍端午节的由来和传说。

❷ 端午节有哪些习俗和活动？这些习俗、活动反映了什么？

---

1 汨罗江：Miluo River, a river rising in Jiangxi Province and running into Hunan Province.
2 雄黄：realgar; eolite; red orpiment
3 楝树：melia azedarach; chinaberry
4 艾叶：folium artemisiae argyi
5 芦苇：reed
6 香囊：sachet; perfume satchel
7 艾叶：folium artemisiae argyi
8 菖蒲：calamus; acorus calamus; sweet sedge; bulrush
9 避邪：avoid evil spirits
10 瘴气：miasm; miasma; malaria; mephitis

七夕[1]节

农历七月初七的夜晚，是传说中牛郎和织女相会的日子，人们俗称七夕节，也叫"乞巧节"或"女儿节"。

七夕乞巧，这个节日是从汉代开始的，在后来的唐宋诗词中，也常常被提到。宋[2]元[3]的时候，京城中还设有专门卖乞巧物品的市场，人们称为乞巧市。

相传在很早很早以前，河南南阳城西的牛家庄有个勤劳、忠厚的小伙子，叫牛郎。他的父母都去世了，跟着哥哥嫂子一起生活。嫂子是个狠毒的人，对他很不好。一天，嫂子让他去放牛，给了他九头牛，却让他等有十头牛的时候才回家。牛郎到了山上，坐在树下伤心、发愁，这时候，有位白发老人出现在他面前，告诉他去伏牛山找一头病倒的老牛。

牛郎翻过一座座山，经历了很多困难，终于找到了那头生病的老牛。他精心喂养老牛，白天为它采花接露水[4]治伤，晚上靠在它身边睡觉。一个月后，老牛病好了，牛郎赶着十头牛回了家。但是，嫂子对他仍旧不好，最后还是把他赶出了家门。没有了家，牛郎每天只有那头老牛相伴。

一天，天上七位仙女下凡[5]游戏，在河里洗澡，牛郎在老牛的帮助下认识了一位叫织女的仙女，他们相爱了。两人一个种地，一个织布，非常恩爱。三年后他们生了一儿一女，一家人过得非常幸福。但是，这件事很快被天帝知道了，王母娘娘[6]亲自来到人间，强行把织女带回天上，恩爱夫妻被拆散了。

牛郎十分悲伤，他按照老牛临死前的话，把两个孩子放进筐里，自己披上老牛皮，挑着孩子飞上天去追织女，王母娘娘见牛郎追来，马上从头上拔下簪子[7]一划，一条波涛汹涌[8]的天河就挡在了牛郎面前，这就是天上的银河。可怜的牛郎和织女被隔在两岸，只能相对哭泣流泪。后来，王母娘娘允许他们每年七月七日夜晚见一次面。每到这一天，喜鹊[9]们便飞过来为他们搭起鹊桥，让牛郎、织女相会。

---

1 七夕：seventh evening of the seventh month of the lunar calendar (when the Herd-boy [牛郎] and Weaving-girl [织女] are supposed to meet)
2 宋：the Song Dynasty (960-1279)
3 元：the Yuan Dynasty (1271-1368)
4 露水：dew
5 下凡：descend to the world
6 五母娘娘：queen mother of the Western Heavens
7 簪子：hair clasp
8 波涛汹涌：roaring waves; the waves ran high
9 喜鹊：magpie

后来，每到农历七月初七，姑娘们就会来到花前月下，寻找银河两边的牛郎星和织女星，乞求上天让自己也能像织女那样心灵手巧，祈祷自己能有称心如意[1]的美满婚姻，由此形成了七夕节。

七夕节最普遍的习俗，就是妇女们在七月初七的夜晚进行的各种乞巧活动。

乞巧的方式大多是姑娘们穿针引线验巧，做些小物品赛巧，摆上些瓜果乞巧，各个地区的乞巧的方式不太相同，但各有趣味。

直到今天，七夕仍然是一个富有浪漫色彩的传统节日。不过，有关这个节日的很多习俗活动已经慢慢弱化或者消失了，只有象征忠贞[2]爱情的牛郎织女的传说，一直在民间流传。

思考题：

❶ 七夕节是哪一天？介绍与七夕节有关的传说或故事。

❷ 七夕节有哪些习俗和活动？这些习俗和活动表达了人们什么愿望？

中秋节

每年农历八月十五日，是传统的中秋佳节。因为这时是一年秋季的中期，所以被称为中秋。据说，八月十五的月亮比其他几个月的满月更圆，更亮，在这个月亮圆圆的夜晚，人们盼望家人团聚，所以，中秋节又称"团圆节"。

古代帝王有春天祭日，秋天祭月的礼仪制度，到了唐代，人们更加重视这种祭月的风俗，中秋节成为固定的节日。到明清时，中秋节已成为中国的主要节日之一。

有关中秋节的传说非常多，如嫦娥[3]奔月，吴刚[4]伐桂[5]，玉兔[6]捣药等神话故事流传很广。

---

1 称心如意：have sth. as one wishes; after one's (own) heart; after one's own soul; be just in accordance with one's wish
2 忠贞：loyal and steadfast
3 嫦娥：Goddess in the moon
4 吴刚：The woodcutter Wu Gang, who was banished to the moon and became Chang-er's friend and servant. The Jade Emperor punished Wu Gang by ordering him to fell a cassia tree-but the tree was immortal and grew back each time it was felled.
5 伐佳：cut GUI (tree)
6 玉兔：The Jade Hare. The hare which lives on the moon, fled to the moon together with Chang'e. They are said to be still living there in a palace.

相传远古的时候，天上出现了十个太阳，晒得庄稼都干死了，老百姓受尽了苦难。一个名叫后羿[1]的英雄，力气非常大，他登上昆仑山顶，一下子射下九个太阳，并且下令最后一个太阳按时升起、降落，为老百姓造福。后羿因此受到百姓的尊敬和爱戴。

一天，后羿到昆仑山访友求道[2]，正好遇到王母娘娘，就向王母要了一包长生不死药。据说，服下不死药后能立刻升天成仙。后羿把药交给自己的妻子嫦娥保管。嫦娥把药藏进梳妆台[3]的百宝匣里，没想到却被蓬蒙看见了，蓬蒙是后羿的徒弟，他表面上对后羿很尊敬，其实心肠很坏。

有一天，后羿和徒弟们去打猎，蓬蒙假装生病，留了下来。他逼迫嫦娥交出不死药，嫦娥知道自己不是蓬蒙的对手，拿出不死药一口吞了下去。嫦娥吞下药后，身子向天上飞去，一直飞落到离人间最近的月亮上成了仙。

后羿十分悲痛，非常思念美丽、善良的妻子。他派人到嫦娥喜爱的后花园里，摆上香案[4]，放上她平时最爱吃的蜜食鲜果，遥祭在月宫里思念着自己的嫦娥。百姓们也纷纷在月下摆设香案，向善良的嫦娥祈求吉祥平安。从此，中秋节拜月的风俗就在民间传开了。

相传中秋节吃月饼开始于元代。当时，中原[5]人民不能忍受元朝统治阶级的统治，纷纷起义反抗元朝统治者。朱元璋[6]联合各方面的反抗力量准备起义。他命令手下把写着"八月十五夜起义"的纸条藏到饼子里面，再派人分头传送到各地起义军中。到了起义的那天，各路起义军一齐响应，起义取得了成功。从此以后，中秋节吃月饼的习俗在民间流传下来。

中国自古就有中秋赏月的习俗，到了周代，每逢中秋夜都要举行迎寒和祭月。人们在香案上摆上月饼、西瓜、苹果、李子、葡萄等时令水果，其中月饼和西瓜是不能少的。西瓜还要切成莲花[7]状。

1 后羿：The earth once had ten suns circling over it, each taking turn to illuminate the earth. One day, however, all ten suns appeared together, scorching the earth with their heat. Hou Yi, a strong and tyrannical archer, saved the earth by shooting down nine of the suns. He eventually became King, but grew to become a despot.
2 道：way; method
3 梳妆台：dressing table
4 香案：incense burner table
5 中原：Central Plains (comprising the middle and lower reaches of the Huanghe River)
6 朱元璋：In 1368 proclaimed the Ming dynasty and established the capital at Nanjing on the Yangtze River.
7 莲花：lotus flower; lotus

唐宋时期，中秋赏月更加盛行。明清以后，许多地方还形成了烧香、点塔灯[1]、放天灯[2]、走月亮[3]、舞火龙等特殊风俗。

中国城乡都有过中秋吃月饼的习俗，人们把中秋赏月与品尝月饼结合在一起，象征着家人团圆、美满。

月饼用料很讲究，外形也很美观，上面常印有各种精美的图案。月饼还常常被用来当做礼品送给亲戚、朋友，以联络感情。

中国地域广大，各地有不同的风俗。在福建浦城，人们为了长寿，妇女们过中秋要穿行南浦桥。在建宁，中秋夜挂灯向月宫求子。上杭人过中秋，儿女在拜月时请月姑。广东潮汕各地有中秋拜月的习俗，妇女们在院子里、阳台上摆上桌子，桌上摆满佳果和饼食作为祭祀的礼品；当地还有中秋吃芋头[4]的习惯。中秋夜烧塔[5]在一些地方也很盛行，元朝末年时汉族人为了反抗统治者，在中秋起义的时候举火把作为号令，因此形成了这一习俗。南京人中秋除了爱吃月饼外，还要吃名菜桂花鸭。上海人中秋宴喝桂花蜜酒。

在北方，山东省庆云的农家在八月十五祭土谷神[6]，山西潞安民间有在中秋节宴请女婿[7]的习俗，而陕西洛川的家长过中秋节时要率学生带礼物为先生拜节。

一些地方和民族还形成了很多独特的中秋习俗。除了赏月、祭月、吃月饼外，还有香港的舞火龙、安徽的堆宝塔[8]、傣族的拜月、苗族的跳月、侗族的偷月亮菜、高山族的托球舞等。

思考题：

❶ 中秋节是哪一天？它为什么又称为"团圆节"？跟中秋节有关的传说故事有哪些？

❷ 人们怎样庆祝中秋节？中秋节表达了人们怎样的愿望？

---

1 塔灯：tower lights
2 天灯：lantern
3 走月亮：walk in the moonlight
4 芋头：taro; dasheen
5 烧塔：burning tower
6 土谷神：god of oil and cereal
7 女婿：son-in-law
8 宝塔：pagoda

重阳节[1]

农历九月九日，是中国传统的重阳节。因为古老的《易经》[2]中把"六"定为阴数，把"九"定为阳数，九月九日，日月并阳，两九相重，所以叫重阳，也叫重九。庆祝重阳节的活动丰富多彩，浪漫有趣，一般包括出游赏景、登高、赏菊、插茱萸[3]、吃重阳糕、饮菊花酒等活动。

和大多数传统节日一样，重阳节也有古老的传说。

相传在东汉时期，汝河有个瘟魔[4]，经常残害百姓。青年恒景的父母在一场瘟疫[5]中死去了，恒景自己也得了重病。病好之后，他决心出去拜访仙人，学习武艺，为老百姓除掉瘟魔。他听说东方有一座最古老的山，山上有一个法力[6]无边的仙长，就不怕艰难和路远，在仙鹤[7]指引下，终于找到了那座高山和那位有着神奇法力的仙长。仙长教给他打败妖怪的剑术[8]，还送给他一把宝剑。

有一天，仙长对恒景说："明天是九月初九，瘟魔又要出来做坏事，你已经学成了本领，应该回去为老百姓除害了"。仙长送给恒景一包茱萸叶，一坛菊花酒，让恒景骑着仙鹤赶回家去。

恒景回到家乡，在九月初九的早晨，按照仙长的嘱咐把乡亲们领到了一座山上，发给每人一片茱萸叶，一盅[9]菊花酒，做好了降魔[10]的准备。中午时分，随着几声怪叫，瘟魔从汝河里冲出来，闻到阵阵茱萸奇香和菊花酒气，它突然停下来，脸色大变，这时恒景手握降妖宝剑追下山来，几下子就把瘟魔刺死了。从此，九月初九登高躲避瘟疫的风俗流传下来。

相传登高的风俗开始于东汉。唐代文人所写的登高诗很多，大多是写重阳节的习俗。登高一般是登高山、登高塔。

重阳糕也叫花糕、菊糕、五色糕。讲究的重阳糕要做成九层，像一座宝塔，上面还要做两只小羊，以符合重阳（羊）的意思。

还据传赏菊和饮菊花酒，起源于晋朝大诗人陶渊明[11]。陶渊明以隐居、作

1　重阳节：Double Ninth Festival (9th day of the 9th lunar month)

2　《易经》：The oldest of the Chinese classic texts. It describes an ancient system of cosmology and philosophy which is at the heart of Chinese cultural beliefs. The philosophy centres on the ideas of the dynamic balance of opposites, the evolution of events as a process, and acceptance of the inevitability of change.

3　茱萸：the fruit of medicinal cornel; cornel

4　瘟魔：pestilential demon

5　瘟疫：pest; pestilence; petis

6　法力：supernatural power

7　仙鹤：white crane

8　剑术：art of fencing; swordsmanship

9　盅：handleless cup

10　降魔：overcome demon

11　陶渊明：Tao Yuanming (365-427) was one of the most influential pre-Tang Dynasty Chinese poets. Approximately 120 of his poems survive, which depict an idyllic pastoral life of farming and drinking. His works had a major influence on subsequent poets.

诗、饮酒、爱菊而出名。后人模仿他，所以有了重阳赏菊、喝菊花酒的风俗。

重阳节插茱萸的风俗，在唐代就已经很普遍。古人认为在重阳节这一天插茱萸可以避难消灾。茱萸大多是妇女、儿童佩带，在有些地方，男人也佩带。除了佩带茱萸，人们也有头戴菊花的。

除了以上较为普遍的习俗外，各地还有些独特的过节形式。

陕北过重阳是在晚上，白天是一整天的收割、打场[1]。晚上月亮出来后，人们喜爱用荞[2]面熬羊肉，吃过晚饭后，人们纷纷走出家门，爬上附近山头，点上火把，谈天说地，等鸡叫时才回家。夜里登山，许多人都摘几把野菊花，回家插在女孩儿的头上避邪。

在福建莆仙，人们要蒸九层的重阳米果；一些地方的群众也会利用重阳登山的机会，扫墓祭祖，纪念先人。

1989年，中国政府将重阳节定为老人节。每当到这一天，老年们登山秋游，开阔视野，交流感情，锻炼身体。人们也用各种各样的方式表达对老人的尊重。

思考题：

❶ 与重阳节（重九）这个传统节日有关的故事和活动有哪些？你认为这些活动有什么现实意义？

❷ 在现代社会，人们（尤其是年轻人）对传统节日越来越不重视，你怎样看这一现象？

Reference

http://www.china.com.cn/ch-jieri/index.htm

---

1 打场：thresh grain (on the threshing ground)
2 荞：buckwheat

中国妇女地位的发展

妇女问题是中国封建社会[1]长期存在的非常严重的社会问题。延续了几千年的封建宗法制度[2]维护着以男权为核心的政治制度和伦理道德，用"男尊女卑[3]"规定妇女的社会地位；一代代妇女身受政权、族权、神权、夫权[4]四重压迫，在家服从父亲，出嫁服从丈夫，丈夫死了还要服从儿子。

20世纪初，中国出现了早期民族资产阶级[5]，民主思想开始传播。1911年，孙中山领导的辛亥革命把男女平等的主张纳入革命纲领[6]，鼓励妇女从家庭走上社会，站到变革社会的历史舞台上。辛亥革命时期，以资产阶级知识女性为主体的的妇女举起了男女平权的旗帜，争女权、开女学、办女报；同时，积极投身到反对清朝、建立民国的斗争。她们初步认识到妇女解放要和民族解放联系在一起，第一次在社会上发出妇女的声音。她们是中国妇女解放运动最早的探索者和实践者。

1915年，中国兴起了新文化运动。新文化运动以民主、科学为旗帜，对封建旧道德、旧传统、旧意识大加批判。个性解放、个人自由、人格独立成为这一时期妇女解放运动追求的目标。1919年，中国爆发反帝国主义反封建的"五四"运动。以女学生为先锋[7]，知识妇女和劳动妇女都投身到这一运动中，妇女解放运动进入新阶段，最直接的成果是：打破了男女有别的封建藩篱[8]，男女可以公开社交；大学开放了女禁，男女可以同校读书；提倡恋爱自由和婚姻自主的行动开始起步。

20世纪上半叶，中国经历了抗日战争。战争环境给"五四"以来的妇女运动带来了深刻的影响，这就是：妇女运动不再仅仅追求男女平等，而是以抗日救国为最大目标。这种变化的具体表现就是妇女界不论是上层妇女、知识妇女，还是劳动妇女、家庭妇女，都动员起来加入各种妇女救亡组织并投入到抗日战争中。而这一场伟大的战争反过来又促进了妇女运动的发展。随着抗日战争的深入，妇女运动已不再只是民间运动，而是成为政府工作的组成部分。不

---

1 封建社会 (fēngjiàn shèhuì)：feudal society
2 宗法制度 (zōngfǎ zhìdù)：patriarchal clan system
3 男尊女卑 (nán zūn nǚ bēi)：the traditional ethics that men are superior to women
4 政权、族权、神权、夫权：political power, clan power, divine power and the authority of the husband
5 民族资产阶级：national capitalist class
6 纲领 (gānglǐng)：guiding principle
7 先锋 (xiānfēng)：pioneer
8 藩篱 (fānlí)：fence

论是国民党还是共产党政府，都有各自的妇女工作部和妇女组织，开展妇女工作。因此，妇女运动比以前更有组织、有计划，并取得了更多的实质性成果，如妇女的教育、参政和就业等等。

1949年10月1日，中华人民共和国成立。第一届中国人民政治协商会议通过了具有临时宪法性质的《共同纲领》，宣布废除束缚[1]妇女的封建制度。妇女在政治、经济、文化教育和社会生活各个方面都享有与男子平等的权利。此后中国妇女的地位的确发生了很大的变化。

在政治方面，一批妇女运动的领袖担任了国家领导职务，大批经历了战争锻炼的妇女干部走上各级领导岗位。妇女的选举权和被选举权也得到了法律保障。

从经济方面来看，在农村土地制度改革中，农村妇女分得了属于自己的土地，参加了农业生产。城市妇女纷纷走出家门，参与国家的经济建设。许多妇女进入传统的男子职业领域，如交通运输、建筑、炼钢、机器制造等等。同时，国家立法规定男女同工同酬，男女经济不平等的状况得到改变。

在文化方面，妇女的教育事业取得了非常大的进步，由50年代的扫盲行动——教妇女识字，改变她们文盲[2]无知的状况——发展到现在的提供高水平教育机会，使妇女接受高素质的教育，从而使妇女更有能力在工作上与男人竞争，更拉近了男女的经济地位。

在婚姻和家庭方面，《中华人民共和国婚姻法》规定实行婚姻自由、一夫一妻、男女平等、保护妇女和子女合法权益的婚姻制度。虐待[3]妇女的现象迅速减少，自由恋爱、婚姻自主蔚然成风[4]。妇女在家庭中也因为经济地位的提高而得到越来越多的尊重。

当然，现阶段中国妇女的状况还是存在不少问题，例如男女就业机会的差距，妇女整体文化水平偏低等问题都不能忽视。但是相信随着中国的发展，会有越来越多的妇女懂得用法律维护自己的权益，越来越多的妇女接受高等教育，越来越多的妇女用智慧创造自己的事业。

---

1 束缚 (shùfù)：tie; bind
2 文盲 (wénmáng)：illiterate
3 虐待 (nüèdài)：abuse
4 蔚然成风 (wèirán chéngfēng)：grow into a general trend

思考题：

❶ 在封建社会时，中国妇女的地位是怎样的？

❷ 辛亥革命是怎样激发中国妇女的解放运动的？

❸ 新文化运动和"五四"运动时期的妇女运动取得了怎样的成果？

❹ 抗日战争给中国妇女解放运动带来了怎样的影响？

❺ 1949年以后，中国妇女的状况发生了哪些变化？

Reference

黄嫣梨 (1999) 建国后妇女地位的提升. *清华大学学报(哲学社会科学版)* , (03)

文心 (2006) 近代中国妇女的觉醒. *广西党史* , (03)

徐辉琪 (1994) 辛亥革命时期妇女的觉醒与对封建礼教的冲击. *近代史研究* , (04)

叶青 (2005) 五四时期中国妇女解放运动的特点. *福建党史月刊* , (03)

王国红 (1995) 抗日战争时期的妇女运动. *咸阳师范专科学校学报* , (04)

Topic 4　Philosophy and Religion

在A Level Unit 2的中文考试中，Section two — Topics and Texts这一部分从2007年起有了一些新的变化。2007年以前，"哲学与宗教"是8组大题目中一个单独的部分，2007年以后，"Philosophy and Religion（哲学与宗教）"作为大题目被取消了，取而代之的是在"Society（社会）"这部分中，增加了"Confucianism or Taoism (Daoism) (discussion of the basic principles of either philosophical tradition in Chinese society)"即"儒家或道家学说（讨论两者之一的基本思想教义与中国社会）"这一部分。可以看出，佛教等宗教的部分被取消了，下面我们分别对儒家和道家的基本知识作一些简要的介绍。

儒家思想

一 儒家思想的创始人孔子及其时代背景

儒家学说是春秋、战国时期以孔子为首的儒家学者（包括孟子、荀子等）

共同创造的理论成果，孔子是中国历史上第一位伟大的教育家和思想家，《史记》记载孔子名丘，字仲尼，生于公元前551年，死于公元前479年。

孔子的祖先曾是宋国的贵族，他幼年丧父，与母亲一起过着艰苦的生活，十几岁的时候母亲也去世了。幼年丧父，少年丧母，艰苦的环境和富人的嘲笑[1]不仅没有使孔子消沉，反而激发了孔子勤奋学习的决心和意志。孔子把握住一切条件和机会，广泛地学习各种知识并锻炼自己，不仅熟练地掌握了礼仪、奏乐、射箭、驾车、写作和算数这六种成为"士"必须要掌握的技艺[2]，还

阅读了大量古代图书，连种菜、种粮这样的体力劳动也干得很好，他在二十岁左右的时候终于赢得了人们的尊敬，开始收学生讲学了。

孔子一生追求都在自我超越的人生理想，追求天下和平与统一。他用了十多年的时间周游列国，不断寻找机会完善和推行自己的学说，他曾受到一些国君的尊重，但他的政治主张不被采用，到处碰壁，原因在于他的政治思想、政治活动与当时激荡、变革的社会现实是相互矛盾的。

周朝[3]的建立者周武王（姓姬名发）在公元前一千多年左右打败了商朝，占

---

1 《史记·孔子世家》鲁国季孙氏宴请贵族，孔子代替他去世的父亲参加，遭到阳虎的嘲笑说，我们请的是"士"，不是请你。"士"是当时下级的贵族。以上孔子事迹均来源于《史记·孔子世家》。(Historical Records, Shi Ji, records: Somebody surnamed as Jisun from the country of Lu held a feast for nobles and Confucius went there on behalf of his late father. He was laughed at by Yang Hu, who said that people they invited are Shi, not Confucius. Shi is a social stratum between senior officials and the common people in ancient China and is the lowest rank among nobles. The above anecdote is cited from Kong Zi Shi Jia in Historical Records.)

2 即礼、乐、射、御、书、数"六艺"。(six classical arts: rites, music, archery, riding, writing and arithmetic)

3 周朝：分为西周和东周2个时期，公元前一世纪-公元前771年属于西周时期，西周幽王被西方少数民族犬戎入侵并杀死，他的儿子周平王被迫将首都迁到今天的河南洛阳，公元前770年-公元前256年属于东周时期。(The Zhou Dynasty is divided into two eras: the Western Zhou and the Eastern Zhou, the former lasting from 1st century B.C. to 771 B.C. and the latter from 770 B.C. to 256 B.C. The shift is marked by the assassination of King You by a minority ethnic group, the Quanrong, from the west and the consequent move of the capital to a place, which is Luoyang, Henan province nowadays, by the son of King You, King Ping.)

领了商朝的国都，建立了周朝，他不久病逝，由他的弟弟周公（姓姬名旦）辅佐周武王的儿子周成王治理国家，周朝最高的统治者称为"天子"。西周天子建立周王朝后，废除了商代的奴隶制度，为了使被征服的地区保持稳定，周天子实行"分封制"，也就是周天子把土地和人民分封给和他的兄弟、与他同姓的贵族，以及其他有功或有势力的异姓贵族，这些人称为"诸侯"，分给"诸侯"们的土地和人民就构成了很多个诸侯国，如齐国国君就是姜太公，鲁国国君就是周公的儿子。《左传》说周天子分封给他的兄弟建国15个，分封给周天子其他同姓的亲戚建国40个，《荀子》也记载周朝初期建立了71个诸侯国，与周天子同姓的亲戚有53个国家。这些诸侯国的"国王"又将他们管辖的土地和人民分封给他们的亲戚、下属和家臣，《吕氏春秋·观世》中记载周朝分封了四百多个国家，服从它的国家有八百多个，可见当时诸侯国数量之多，而这些诸侯国，大部分是周天子姬姓的同族，政治与血缘的紧密结合，就是"封建"的根本含义。

周公为周朝的统一与繁荣做出了巨大的贡献，其中之一就是建立了对中华文明影响深远的"礼乐"文明。周代社会以宗法等级制度和血缘关系为纽带，"礼"是社会中人与人关系的根本规范。"礼"不是"讲礼貌"那样简单，"礼"有一套非常复杂的仪式，如男子成年要行"冠礼"，《礼记·曲礼》记载男子20岁要举行"冠礼"，而国君的"冠礼"则可以提前。其他如结婚、祭祀祖先、办丧事、甚至乡里请客饮酒都有非常复杂的"礼"的仪式。

"礼"的核心是显示社会不同等级人们之间贵与贱、尊与卑、亲与疏、长与幼之间的差异。"礼"要求社会不同等级，不同贫富的人们之间要遵守不同的行为规范；贵者有贵者的礼，贱者有贱者的礼，长者有长者的礼，幼者有幼者的礼，这样就形成君臣、父子、夫妇、朋友之间的尊卑关系，如果人人都依照与他的身份合适的"礼"来做事，整个社会的秩序就稳定与和谐了。"礼"要求血缘亲属之间互亲互爱，关系越近越要互爱，血缘亲属之间团结起来，再联合没有血缘关系的人组成整个社会群体。子女对父母，弟弟对兄长要敬爱、尊敬和服从，这就是"孝"和"悌"；反过来父母对子女，兄长对弟弟要"慈"。当时周天子和各诸侯国王的继承制度采用"嫡长制"，就是立正式妻子所生的年龄最大的儿子为继承人，这样，天子的弟弟们、儿子们将来作为天子的臣子，就会因为与统治者有亲情关系，因而敬爱、尊敬长辈，不会犯上作乱，社会也就和谐有序。

然而，到了500年后孔子时代的春秋时期，由于周厉王、周幽王等人的暴虐、荒淫，出现了如周幽王烽火戏诸侯等事件，周天子的威信降低，而各个诸侯国因为经济高度发展，人口过多而土地不足，同时国王们的欲望也越来越强，造成诸侯国之间的战争不断。这时的社会，"礼"的约束没有了，不仅大臣杀死国王抢夺政权的事情时常发生，甚至为了争权夺利，兄弟骨肉、父子之间也互相残杀，如商臣（楚穆王）为了登上王位竟然杀害了他的父亲楚成王。据鲁国的历史书《春秋》记载，在250多年的时间里，各个诸侯国之间战争的次数多达上百次，都是为了争夺土地和掠夺财物。周朝初期几百个诸侯国，到了孔子所处的时代只剩下几十个了。

孔子面对动荡的社会、变革的时代，一方面痛恨"礼"的制度被破坏，一方面他也知道时代不同，"礼"也要顺应时代作相应的改变。他热心救世，这在《论语》中有很多记载。孔子在一系列热心救世的活动碰壁之后，晚年回到鲁国，将余生的精力用在教育学生和整理古代文献上。孔子针对不同的学生采用不同的教育方法，因材施教，对学生毫无隐瞒，赢得了学生对他的无限尊敬和景仰。"六经[1]"这一名称虽然出于汉代，但至少《诗》、《书》、《易》、《仪礼》、《春秋》都与孔子及其弟子有关，这是他对后代做出的最大贡献。

三百多年后，西汉武帝采用儒家思想作为治理国家的主导思想，从此孔子的思想逐渐被政治化、宗教化。孔子对后代的影响非常复杂，有好的影响也有坏的影响。在坏影响中有些是孔子自身的局限性所致，也有些是人们错误理解了孔子有益的思想，把其变为有害的东西，这些方面我们不能责备孔子，过高或过低地评价孔子都是不对的。

二 孔子的思想

在A2以往的考试中，Topics and Texts这一部分涉及到儒家思想的概念有：孔子学说"仁"、"孝"的概念（2001）；孔子学说的"仁"（2002）；解释儒家学说中的"礼"（2003）；解释孔子学说中"仁"与"孝"的概念（2004）；儒家学说中的"孝"（2006）。在这5次考试中，考试内容除了要求解释上面的概念之外，还必须讨论它们对中国传统或现代社会的影响，因此了解以孔子

---

1 六经：原来称作"六艺"，指夏、商、周三代流传下来在春秋时期先后成书的《诗》、《书》、《礼》、《乐》、《易》、《春秋》六部书，汉武帝不仅要统一政权，还要统一人们的思想，采用了反映儒家思想的五经（《乐》已经失传）作为选拔政治人才的考试科目，由于《乐》已失传，又称作"五经"，《诗》相当于文学；《书》相当于政治学；《礼》相当于社会学；《乐》相当于音乐；《易》相当于哲学；《春秋》相当于历史学。(*Six Confucian Classics*: originally named *Six Classics*, includes the *Book of Songs*, *Collection of Ancient Texts*, *The Rites*, the *Book of Changes*, the *Book of Music*, and *The Spring and Autumn Annals*. They originated from dynasties of Xia, Shang and Zhou and were compiled to books in the Spring and Autumn period. Emperor Wu in Han Dynasty not only wanted to consolidate a unified ruling of the country but also that of the minds; therefore, he adopted Confucian classics into the civil service nomination system, among which the *Book of Songs* focuses on literature, *Collection of Ancient Texts* on politics, The Rites on sociology, the *Book of Music* on music, the *Book of Changes* on philosophy and the *Spring and Autumn Annals* on history. Because *The Book of Music* is no longer existed, the Confucian classics is also called *Five Classics*.)

为代表的儒家思想的一些基本概念，具备一些科学、理性的分析能力，对儒家思想在中国传统和现代社会中产生的影响进行分析，是写好Topics and Texts必须具备的条件。

　　儒家思想的发展，经历了漫长的、不同的历史时期，从春秋战国时期（又称为先秦时期）的原始儒家思想，到西汉、东汉（两汉时期）的"经学"思想，以及宋朝的"理学"、明朝的"心学"，直到今天各种"新儒家"的思想，儒学思想一直在经历变化。上面提到的"仁"、"孝"、"礼"等概念，在不同的历史时期中，它们的内容都是变化和发展的。参加A2考试的学生，因为语言、年龄与人生实践的限制，不可能全部阅读反映孔子思想的《论语》一书；甚至《论语》中有很多话，即使看了注解也不一定会完全明白其中的含义，再加上社会上各种对孔子思想错误理解的干扰，我们只需要了解孔子思想的核心内容和一些重要的概念就可以了，关键是通过这些知识的学习了解中国文化重要组成部分——儒家思想的内涵，并能够了解以孔子为代表的儒家思想对中国社会、政治、文化等方面产生的影响，并用科学、理性的态度分析这些影响，下面我们简单介绍孔子的思想。

（一）孔子思想的核心——"仁"

　　孔子思想的核心是"仁"学，我们称它为"学"，是指"仁"不是一个简单概念，它在孔子思想中具有哲学和伦理道德的精神，是人们应该追求的最高目标。什么是"仁"？《论语》一书对"仁"的解释有很多，如："仁"就是"爱人[1]"，还有"抑制自己，使言语行动都合于'礼'，就是仁[2]"，"能够处处实行恭、宽、信、敏、惠这五种品德，就是仁人了[3]"等等。《论语》一书关于"仁"的解释，几乎包括了所有做人的道理，孔子认为忠、恕、孝、悌、勇、恭、宽、信、敏、惠[4]等品格都离不开"仁"。孔子对他的学生曾子说："我的学说贯穿着一个基本的中心观念"。曾子说："是！"孔子出去后，曾子告诉其他同学说："老师学说的中心观念就是'忠'和'恕'[5]"。

---

[1] 《论语·颜渊》"樊迟问仁。子曰：爱人"。 (from Book XII, *The Analects of Confucius*)

[2] 《论语·颜渊》"颜渊问仁。子曰：克己复礼为仁"。(from Book XII, *The Analects of Confucius*)

[3] 《论语·阳货》"子张问仁于孔子。孔子曰：能行五者于天下，为仁矣。请问之？曰：恭、宽、信、敏、惠"。
(from Book XVII, *The Analects of Confucius*)

[4] 忠：忠诚无私，尽心竭力(loyal and devoted)。恕：体谅(showing understanding and sympathy to others)。孝：尽心奉养和服从父母(taking care of parents with all one's heart and being obedience to parents)。悌：敬爱兄长(respecting and loving older brothers)。勇：果敢，胆大(determined and daring)。恭：恭敬，谦逊有礼(polite and humble)。宽：宽厚(generous and kindhearted)。信：真心诚意(sincere and genuine)。敏：勤勉(diligent)。惠：仁爱，恩惠(benevolent)。

[5] 《论语·里仁》"子曰：参乎！吾道一以贯之。曾子曰：唯。子出，门人问曰：何谓也？曾子曰：夫子之道，忠恕而已矣。"(from Book IV, *The Analects of Confucius*)

"忠"和"恕"是"仁"学的两个方面,"恕"是"仁"的基本要求,就是要求人们做到:"己所不欲,勿施于人(自己不想要的、不想做的事,不要强加给别人)[1]"。"忠"是"仁"比较高的要求,是要求人做到:"己欲立而立人,己欲达而达人(自己在世上站得住,同时也要帮助别人,使别人站得住;自己要活得幸福、自由,也要帮助别人活得幸福、自由)[2]"。中国历史两千多年来,无数的名人、有志之士将"己欲立而立人,己欲达而达人"作为一生的追求去努力奋斗,最终形成了影响世界的儒家文化。将"忠"和"恕"的内容合起来,核心就是"仁"。有的动物也有"爱",懂得爱护它们的子女,但这是一种原始的本能,一旦它们的子女长大了、独立了,父母和子女之间也会因为争夺食物而互相残杀。正常人都会有对亲人的爱,将这种对亲人的爱,从自己身上扩大到社会中其他人的身上,能够关心、同情、尽自己的力量帮助需要帮助的人,就是"仁"了。人要实现"仁",必须要有力量,空想是帮不了别人的,所以要不断学习、提高自己,只有自己变得强大了,才有能力帮助别人,所以《论语》第一句话就是:孔子说:"学习了,然后按照一定的时间去实习它,不也很高兴吗[3](子曰:学而时习之,不亦悦乎)"。

孔子认为:"仁"是人的内在品德,只能靠自己去发挥,外在力量不能使你得到它,所以"人能扩大、发展如何做人的道理,做人的道理不能使每个人都成为完美的人[4]"。这里的道,就是人道(做人的最高道理),人道要靠"仁"来发扬光大,人不努力,不追求"仁",人道也不能使人成为有道德、有学问的完美的人。

要实现"仁",就要对自己有要求,必须避免四种毛病"子绝四:毋意,毋必,毋固,毋我(不主观揣测、不独断独行,不固持己见,不自以为是)[5]"。

(二)"礼"——和谐统一的社会秩序、人与人之间的约束和规范

孔子思想中的"礼"与"仁"是统一的,就是说如果"礼"失去了仁爱之心作为内在根本精神的话,也就没什么意义了[6]。"仁"是个人发展与社会发展

---

1 《论语·卫灵公》(from Book XV, *The Analects of Confucius*)
2 《论语·雍也》(from Book VI, *The Analects of Confucius*)
3 《论语·学而》,"学"在中国古代还有"觉悟"的意思,是指人懂得人生的意义,从而有了大的智慧。(From Book I, *the Analects of Confucius*. 学 in classic Chinese also means "to understand, to realize", that is, to understand the meaning of life and hence to own real intelligence.)
4 《论语·卫灵公》"人能弘道,非道弘人"。(from Book XV, *The Analects of Confucius*)
5 《论语·子罕》(from Book IX, The Analects of Confucius)
6 《论语·八佾》"人而不仁,如礼何?"((from Book III, *The Analects of Confucius*)

相互统一的核心基础，"礼"是"仁"的扩充，它们是人外在形式与内在的德行之间的关系。

西周以来，统治者内部实行"礼"、"乐"制度，"礼"包括的范围很广，有社会制度、行为规范、礼节仪式等很多方面，前面提到"礼"的本质是显示社会不同等级人们之间的差异，天子有天子的"礼"，大到祭祀祖先的仪式，小到出门旅行，或宴请宾客，天子、诸侯、大夫、士、一般百姓所遵守的"礼"都是不同的。《礼记·曲礼》记载："替天子削瓜，先去皮，再切成四块，然后横切，用细葛巾盖好；替诸侯削瓜，去皮，切成二块，再横切，用粗葛布盖好；替大夫削瓜，也去皮，先切成两块，再横切成四块，不用巾盖；士只削去瓜蒂；而一般百姓只是咬着吃"。从吃瓜这样一件很小的事，就可以看出当时社会不同阶层之间"礼"的差异。然而，这种处处体现着社会不同阶层的"礼"到了孔子的时代已经不被诸侯、大夫们遵守了。如周朝的"礼"（周礼）规定：只有天子才可以祭天，诸侯国的国君只能祭自己领地内的名山大川[1]，然而鲁国的国君竟然以天子自居来祭天。周礼规定，祭祀时，天子可以用8个行列64个跳舞的人[2]，诸侯用6个行列48个舞蹈者，大夫用4个行列32个舞蹈者；后来不仅鲁国的诸侯用64个跳舞者，就连一个姓季的大夫也用64个跳舞的人，一切都乱套了。孔子高喊："这都可以狠心做出来，还有什么事做不出来呢？[3]"，这就是春秋时期的"礼崩乐坏[4]"。

很多人认为孔子这是小题大做，守旧固执，不能顺应时代潮流接受新思想；其实并不是这样，周公制作"礼乐"确实给当时社会带来了一定程度的稳定，而"礼崩乐坏"必然给社会带来动乱，人没有绝对的自由，和谐稳定的社会秩序必须要有规则。

"礼"对于周朝统治者和社会的作用，我们在介绍孔子所处的时代背景时已经说过，下面简单介绍"乐"。我们已经知道，"礼"的核心是显示社会不同等级之间的差异，但只讲差异不讲相同，社会不可能和谐，所以周公在制定"礼"的同时又作"乐"，"礼"讲差异，"乐"讲和同[5]。"乐"是音乐但又超越了音乐，具有浓厚的政治、社会色彩。我们都知道音乐可以陶冶人的

1　大川：大的河流 (big rivers)。

2　《论语·八佾yì》古代舞蹈，八个人为一行，一行叫一佾。 (from BookIII, *The Analects of Confucius*. In ancient dance, eight dancers formed a row and one row is called 一佾yì)

3　《论语·八佾》 "八佾舞于庭，是可忍也，孰不可忍也"。 (from BookIII, *The Analects of Confucius*)

4　礼崩乐坏：以"周礼"为核心传统社会的政治秩序和道德规范全面瓦解。(The total collapse of traditional socio-political order and moral principles centered around the Rites of Zhou.)

5　和同：就是人们虽然等级不同，但利用人的血缘亲属观念，使大家在音乐声中融合为一体，相亲相敬。(People are from different socials classes, but they still have blood ties. With these blood ties as well as some music, everybody can show respect and care to each other.)

情操，丰富人的感情世界，"乐"就是用编钟、琴、瑟等乐器在不同场合演奏不同的音乐，来激发人们的感情，产生共鸣。《乐记》上说：如果君臣一起在宗庙听庄严的音乐，就可以互相理解、互相尊敬；如果同族老小一起在乡里听音乐，就可以互相亲和、使晚辈顺从长辈；如果父子、兄弟一起在家里听音乐，就可以增进相互间的了解、更加相爱。"乐"的和同可以使人们相亲相爱，"礼"的差异可以使人们相互尊敬。

周公把遵守"礼"作为实行德政[1]的重要内容，他对成王说："王啊，你开始用'礼'来接见诸侯，在我们的新首都祭祀文王（成王的祖父），这些'礼'都是有秩序不混乱的。如果诸侯对'礼'不诚心，老百姓不重视'礼'，那样，他们就会轻视你的号令，政事将会错乱[2]"。所以，周公作为一个出色的政治家，建立了"礼"和"乐"的文明，使得周朝统一天下，为后世留下了中国传统的"礼乐"文明。

"礼"虽然是为统治者服务的，但孔子认为"礼"不是永远不变的，"礼"需要随时代而变革，他除了认为"礼"在一定程度上具有挽救当时混乱的政治、使天下恢复和谐、统一的政治作用之外，他更认为"礼"中包含的各种行为规范，不仅调解了人与人之间的关系，也调解了人与自然之间的关系，可使人与人、人与自然之间和谐相处，同时也可以培养人向善的感情，使人的生活更快乐、更有意义。比如孔子在路上看见穿孝服的人，即使是平时关系很好的，虽然在路上，他也一定用庄严、肃穆的神情表示同情，不随便讲话[3]。"礼"的很多内容都表明了一个人应对他人采取同情、关心和尊敬的态度；遵循"礼"的要求，不仅能使人的感情更加丰富，也能使人的人格得到提升，从而使人获得真正的快乐，达到个人、社会和自然之间的和谐安宁。

"五四"时期，"打倒孔家店"、揭露和批判吃人的"礼教"等文化批判运动，体现了中国古代传统文化与现代文化、中国文化与西方文化之间的激烈冲突。许多学者在批判中国传统文化糟粕的同时，全盘否定了"礼乐"文明；尽管这些批判在当时、甚至是现代都很有借鉴意义，但长远来看，追求富足、丰富多彩的生活，追求和谐、文明的礼仪之邦的理想，是每个人心里都向往的。我们要用批判糟粕、继承优秀，既不人为拔高、也不人为贬低的科学与理性的态度去看待中华古老的文明。

---

1 德政：用道德来治理国家，不靠严厉的暴力手段。(making good use of moral principles to rule the country rather than deploying violent means)

2 《尚书·洛诰》(from Collection of Ancient Texts)

3 《论语·乡党》(from Book X, *The Analects of Confucius*)

（三）"孝"——孔子"仁"学的基础

孔子的学生有若说过："孝顺父母，敬爱兄长，就是'仁'的基础啊！[1]"，"仁"首先是从家庭开始的，"孝"是孔子仁学的基础，百善"孝"为先，但是，在儒学发展的不同历史时期，对"孝"的理解是不同的，"孝"的概念在孔子之前的西周时期就有了，"孝"的主要作用是为了维护以血缘、家族关系为基础的政治等级制度和社会秩序。

孔子思想中"孝"的内容有：首先，"孝"不仅是物质上的赡养，更重要的是对父母要尊敬，孔子说："家里的狗和马人也会去喂它们，如果对父母只是物质上的给予，不尊敬他们，那样和喂养狗、马有什么分别呢？[2]"；其次，孔子将"孝"从血缘、家族为统治的政治观念中扩充出来，扩大到一般平民百姓，把"孝"转化为建立在血缘关系之上的人的自然情感，如父母去世，子女守孝三年来报答孩子幼小时父母三年怀抱的爱[3]；最后，孔子认为"孝"是人宝贵的情感，人对亲人关心、爱护、尊敬的感情丰富和深厚了以后，自然就会形成良好的品格，懂得站在别人的角度考虑问题，懂得尊敬他人、爱护他人，这就是"仁"，所以"孝"是"仁"的基础，很难想像一个连父母、兄弟都不去关心爱护的人会真心去关爱他人。

从孔子关于"孝"的内容可以看出孔子并不是在空谈"仁"学，"孝"和"仁"都要依靠"爱"的感情积累，并且它们不只是作为一种知识、想法停留在人的大脑中，它们需要在生活中从点滴做起，是思想和行动的统一。"孝"是亲情，"仁"是在亲情基础之上产生的普遍的对他人的同情与爱护，是人真正成熟起来实现人生意义的最终目标。

"孝"后来被统治者工具化、绝对化，"天下无不是的父母"，"父为子纲"，像郭巨活埋儿子省钱养活母亲的残忍行为，王祥冬天用体温融化河冰，抓鲤鱼给生病继母吃的愚昧[4]，以及割掉自己腿上的肉来医治父母的疾病等等众多封建毒素和糟粕都被树立为"孝"的典型，被统治阶级作为麻痹人民、统一人民思想的工具。

在当今中西方文化广泛交融、对话的背景下，面对一些双方社会共同存在的家庭伦理道德问题，借鉴孔子"孝"的学说具有一定的现实价值和积极意

---

1 《论语·学而》"孝弟也者，其为仁之本与"。(from Book I, *The Analects of Confucius*)

2 《论语·为政》(from Book II, *The Analects of Confucius*)

3 《论语·阳货》"子生三年，然后免于父母之怀。夫三年之丧，天下之通丧也，予也有三年之爱于其父母乎"。(from Book XVII, *The Analects of Confucius*)

4 郭巨、王祥事迹请见二十四孝 (For anecdotes of Guo Ju and Wang Xiang, please refer to Stories of 24 Obedient Sons)

义，孔子"孝"的学说中提倡父母与孩子间真情的培养与互相关爱，尊敬长辈但不盲目服从，将长辈慈爱，晚辈恭敬提高到人的品格养成的高度，对于现代家庭和谐美满，人内心感情世界的善良与丰富，有着很大的启示作用。

（四）"义"与"智"——行为的准则和智慧

提到"义"，很多人想到的是"讲义气"、"仗义"，在孔子的学说中，"义"不是这个意思。《论语》中没有关于"义"的定义，论语中"义"字出现了24次，概括起来，"义"是判断人们行为是否符合道理的一种标准和尺度，而且"义"不仅看行为本身，还要看行为的目的和结果是否符合道理，符合什么道理呢？就是"仁"和"礼"。

孔子的学生子路问孔子："有道德的人崇尚勇敢吗？"孔子回答他："有道德的人认为'义'是最可贵的，有道德的人只有勇敢，没有'义'，就会捣乱造反；没有道德的人有了勇敢而没有'义'，就只会做强盗[1]"。可见，即使是有道德的人，他做事的目的和行为都要符合"义"，也就是符合"仁"和"礼"的要求。符合"仁"好理解，因为"仁"是让人离恶向善，积极向上的，可是"礼"却仪式复杂，还有其他对人的要求，如忠、信等等，在现实生活中会发生很多冲突与矛盾，怎么办？这就需要"智"。"智"包括的内容也很多，它不是一般的"聪明"、"有智慧"、"脑筋活"的意思，"智"是指具有仁爱胸怀，以天下人民的利益为第一重要（这也就是"义"）的"大智慧"，有了"仁"和"义"作为依托，在现实世界中遇到一些特殊的情况，就可以不受"礼"的束缚。历史上有名的齐国和鲁国的"夹谷会议"，齐国原来想羞辱鲁国国君，为了制止齐国的阴谋，孔子就没有遵循一步一停上台阶的礼节，而是快步跑上举行会议的台阶，制止了齐国的阴谋[2]。

"义"是使天下人都获得利益的人生理想，但在现实中，天下人获利与个人获利经常是冲突的，孔子说："做不正当的事得来的富贵，在我看来就像天上漂浮的云彩一样，是虚幻和毫无价值的[3]"。对于个人利益问题，孔子还说："统治者贤明有道德，就出来工作；统治者昏庸无道德，就隐居起来。政治清明，自己贫贱是耻辱；政治黑暗，自己富贵也是耻辱[4]"。从"政治清明，自己贫贱是耻辱"一句，可以看出孔子是不反对个人通过正常途径获得利益的。

---

1 《论语·阳货》(from Book XVII, *the Analects of Confucius*)
2 《史记·孔子世家》(from *Historical Records*)
3 《论语·述而》"不义而富且贵，于我如浮云" (from Book VII, *the Analects of Confucius*)
4 《论语·泰伯》(from Book VIII, *the Analects of Confucius*)

　　"智"是大智慧，什么是大智慧？一般的智慧离不开知识与理性，大智慧更是建立在丰富的知识与理性之上，不仅如此，它还能够明辨是非善恶。大智慧的实现，是以"仁"、"义"作为根基的，没有"仁"和"义"作为根基，"智"顶多算是小聪明、小狡猾。"仁"、"义"都能使人的人性不断丰富、完善，使人远离动物性，"智"也如此，没有明辨是非善恶的大智慧，人生总是有缺陷、不完满的。

（五）"圣"——志存高远、胸怀宽广、坚毅进取的民族精神

　　人能够用"仁"的同情心、爱心对待他人；用"义"作为做事情的目标和评价行为是否合理的标准；待人接物既遵守"礼"的规矩，又不迂腐；广泛学习各种知识，不断提高自己的品德，养成具有超过常人的"大智慧"，人沿着这样的一条人生道路发展，就达到了人生的最高境界"圣"。

　　"圣"是儒家学说的人生最终目标，是使"人真正成为人"的追求与理想。《论语》中没有给圣人下过定义，孔子的学生子贡曾经问孔子："假如有这样一个人，他能够广泛地给人民好处，能够帮助大家生活的更好，可以称他'仁'吗？"，孔子回答子贡："这哪里仅仅是'仁'呢！那一定是'圣'了！[1]"。可见，在孔子的观念中，圣人不是神仙，只是平常的人。在现实生活中，没有错误、完美无缺的人是不存在的。"圣"只是一种人生最高的追求而已，是人生活在宇宙中将生命的意义不断提升的追求。而所谓的圣人，只不过是拥有"仁"爱的心灵、追求"义"的价值标准、平时遵循"礼"的行为方式、具有"智"的能力，并尽量扩大它们的平常人而已，圣人也会犯错误，但会及时发现错误并自我改正。"圣"作为个人人生的理想与追求，古往今来影响了千千万万的中国人，他们虽然不是"圣人"，但他们志存高远、胸怀宽广、坚毅进取，为中华民族积累了宝贵的精神财富和民族精神。

　　孔子被后世尊为"圣人"，其实孔子本身是反对别人用"圣人"来说他的，孔子说："讲到圣和仁，我怎么敢当？我不过是不厌倦地学习，不厌倦地教别人，仅此而已[2]"。历代的统治者为了统一人们的思想，巩固政权，为人们树立了很多"圣人"作为榜样，并将这些"圣人"完美化、神化，给人们的精神上加上了很多桎梏，忽视了人们的正常需要和自由。我们要将"圣"作为儒家学说中个人的"人生理想与追求"，与历代统治者所宣扬的"圣"区分开来，正确认识"圣"的不同含义与不同的社会影响。

---

1 《论语·雍也》(from Book VI, *the Analects of Confucius*)
2 《论语·述而》(from Book VII, *the Analects of Confucius*)

思考题：

❶ 孔子学说中"仁"和"孝"的概念在中国传统政治社会中如何反映？

❷ 儒家学说中的"礼"对社会和个人有哪些正面和负面的作用？

❸ 孔子学说的"仁"对当代的人和社会有什么意义？

❹ 儒家学说中的"孝"对中国传统家庭、社会及政治有什么影响？

❺ 我们如何看待儒家学说中的"圣人"？效仿"圣人"过时了吗？

❻ 儒家学说中的"义"，对当今商业社会有什么意义？

道家思想

一 道家思想的不同时期与主要代表人物

道家思想与儒家思想一样，都发源于中国本土，属于中华民族本土文化。道家从老子开始已有两千五六百年的历史，在这段历史长河中，道家哲学的发展大致可分为四个时期：

第一个时期——秦朝以前（先秦）：老子、庄子，原始道家时期；

第二个时期——魏晋：经过两汉独尊儒术，道家回应儒家提出的一些问题来发展道家的思想；

第三个时期——隋唐开始：西汉末年佛教传入到隋唐五百年间，道家对应佛教提出的一些问题来发展自己的思想；

第四个时期——五代以后：内丹心性学的发展是道家发展的高峰。

中国儒、释、道[1]三家都是以内在"超越"为特征的，内在"超越"是指人要"超越"自己身心的限制，"超越"自然环境的限制。这依靠什么？从内在"超越"讲，主要靠自己，靠自己的心性、身心的修养来达到"超越"自我和自然环境对人的限制，这一点与西方的基督教不一样，在基督教中，人的"超越"需要依靠上帝，靠外在的力量帮助人达到"超越"的境界，而中国的儒、释、道三家都是靠人本身通过自我的修养达到"超越"的境界。

---

1 儒、释、道：即儒家思想、佛教思想、道家思想。(Confucianism, Buddhism and Daoism)

我们考试所要求掌握的，是以老子和庄子为代表的先秦时期道家哲学思想。

老子的生平事迹，现有的材料已无法考证，他的生平最早见于司马迁的《史记·老子 韩非列传》[1]，《史记》说老子是楚国苦县人，做过周王室藏书室的官。老子的思想主要在《老子》（又称《道德经》）一书中，《史记》记载孔子曾经到周天子的国都向老子问礼，依《史记》的说法，老子年长孔子几十岁，他看到周天子日渐衰微下去，于是就离开，路过函谷关的时候，给守关的关令尹喜留下五千多字的《道德经》上、下两篇，然后就不知道他去哪里了。近年来，对一些新出土考古材料的研究[2]，可以认定我们现在看到的《老子》一书与原始《老子》有很大不同，现在的《老子》一书被先秦其他学者改编过。

老子之后道家学说的代表人物是庄子（庄周），有学者考证庄子生于公元前369年，卒于公元前286年[3]。庄子生在动乱的战国年代，孔子试图挽救"礼崩乐坏"和诸侯战争带来民不聊生的黑暗世界，但是孔子的主张和行动完全失败了，到了二百多年后庄子的时代，世道更加黑暗，诸侯混战杀死的人可以堆满城墙，填满田野，人民的生命根本没有任何保证，同时很多思想、学说都在为统治者发动战争而服务。在这样黑白颠倒，民不聊生的世道中，庄子空有一身学识而无法派上用场，他拒绝了一些诸侯的邀请，想避开这个污浊的世界，不与那些"以杀人为功"的统治者合作，但和平、安宁的生活环境在当时是找不到的。庄子的学问博雅宏大，文章写得极好，鲁迅说周朝晚期诸子的作品没有能超过他的，庄子的哲学和文学对后世产生了深远的影响。庄子的思想主要在《庄子》一书中，《庄子》一书分为《内篇》七篇、《外篇》十五篇和《杂篇》十一篇，一般学者认为《内篇》是庄子自己作的，《外篇》和《杂篇》有的是庄子作，有的是后人写的。

二 老子、庄子的主要思想

（一）老子的思想：

1．道：老子哲学思想最基本的概念是"道"。现在的学术界对"道"有种种不同的理解，有的学者把"道"解释为一种物质的东西，如元气；也有的人

---

1 《史记·老子韩非列传》："老子者，楚苦县厉乡仁里人也。姓李氏，名耳，字（伯阳，谥日）聃。 周守藏室之史也。"(from *Historical Records*)

2 如马王堆三号汉墓出土了帛书《老子》，郭店三种竹简《老子》。(For example, *Laozi* copied on silk was unearthed from Mawangdui Han Tomb No.3 and three different *Laozi* copied on bamboo slips from Guodian.)

3 曹础基，《庄子活动年表》，《华南师范大学学报》1989年第3期。(CAO Chuji, Chronology of Zhuangzi. In *Journal of South China Normal University, volume 3*, 1989.)

将"道"解释为一种宇宙的规律，此外还有很多其他的解释。"道"最基本的含义是宇宙人生的普遍原则，《老子》第一章"道可道，非常道"到"玄之又玄，众妙之门"，"众妙"是一切事物发生的地方，可以理解为宇宙人生最普遍的原则，《老子》中讲"道"、"先天地生[1]"、"道生一、一生二[2]"等，不仅说明了"道"在时间上先于天地万物，从逻辑上讲也是先于天地万物的。

2．德：关于"德"也有着种种不同的理解，基本上可以认为是人或事物从"道"那里得到了属于人或事物的本来的本性。人之所以成为人是由于人从"道"那里得到了属于人的本性，所以顺应、实现"道"的要求就应该是人所追求的目标，人生的根本道理就是与"道"相同，所以人要"同于道[3]"，就是与"道"同体，与道一致。

3．自然无为：如何才能达到与道同体，老子认为要"自然无为"和"少思寡欲"。"自然无为"就是人要顺应自然，不故意违背自然，"人效法地，地效法天，天效法'道'，'道'效法自然[4]"。最根本是要效法"道"的自然而然，不应违背道的规律，所以按照"无为"去做，就能什么都做好[5]，违背了"道"自然无为的要求，就什么都做不好。求学向外追求知识，追求越多，欲望就越多，负担也就越重；为"道"不是向外去追求东西，而要减少不必要的欲望[6]。统治者不要采用自以为聪明的主张，要净化人民的心思，用"无为"的态度治理国家，"不珍贵难得的货品，可以使人民不起盗心；不显现名利的可贪，能使人民的心思不被惑乱[7]"。老子认为人只要做到"自然无为"、"少思寡欲"就可以和"道"相同了。

在老子的学说中，人人都可以做到同于"道"，就看他能不能按照"道"的要求去做。老子认为做人应当依靠自己的身心思想，顺应自然，少思寡欲、达到一种超越自我，超越环境限制的境界。

（二）庄子的思想：

庄子的基本思想就在《庄子》的第一、二两章[8]里面，庄子的基本思想是追求一种绝对的自由，这是一种"人的精神上的自由"。

1　《老子》第25章"有物混成，先天地生，寂兮寥兮，独立而不改，周行而不殆"。(Chapter 25, *Laozi*.)

2　《老子》第42章"道生一，一生二，二生三，三生万物"。(Chapter 42, *Laozi*.)

3　《老子》第23章"故从事于道者，同于道；德者，同于德；失者，同于失。同于道者，道亦乐得之"。(Chapter 23, *Laozi*.)

4　《老子》第25章"人法地，地法天，天法道，道法自然"。(Chapter 25, *Laozi*.)

5　《老子》第3章"为无为，则无不治"。(Chapter 3, *Laozi*.)

6　《老子》第48章"为学日益,为道日损.损之又损,以至于无为,无为而无不为"。(Chapter 48, *Laozi*.)

7　《老子》第3章"不贵难得之货，使民不为盗；不见可欲，使民心不乱"。(Chapter 3, *Laozi*.)

8　《庄子》第一章《逍遥游》，第二章《齐物论》。(Chapter 1 & 2, *Zhuangzi*.)

　　《逍遥游》开始讲到大鹏鸟翅膀击水三千，一飞九万里；列子驾着风日行八百里，<u>庄子</u>认为他们飞得高、走得快都是有条件的，大鹏需要很大的空间，没有大的空间不可能飞那么远；列子必须有风，没有风，也无法飞那么远，他们的自由都需要外在的条件才能实现。人如何才能得到真正的自由？如何不受外界条件的约束？不受自己身心的约束？<u>庄子</u>认为要"无待"，就是不要靠外在的条件。<u>庄子</u>说："如果能顺着自然的规律，把握'六气'的变化，遨游于无穷无尽的境域，他还有什么依赖的呢！因此说，'至人'能够达到忘我的境界，'神人'心目中没有功名和事业，'圣人'不去追求名誉和地位[1]"。<u>庄子</u>强调人如果能够把握自然的变化，在无穷无尽、没有限制的宇宙中逍遥游，那还需要什么外在的条件呢？这样的人就是至人、神人、圣人。"至人"就是超越自己身心限制的人；"神人"就是"无为"，不做违背自然的人；"圣人"就是超越世俗的功名利禄的人。至人、神人、圣人都是可以在精神上得到自由的人，他们超越了自己的身体和外在环境对人心灵的限制。

　　如何达到这种境界？需要"坐忘"，在《大宗师》一篇中，<u>庄子</u>讲了一个故事：<u>颜回</u>去看<u>孔子</u>，说："我进步了，我忘掉了'礼乐'，'礼乐'这种外在的东西被我忘掉了"，<u>孔子</u>说你这样很好，但是还不够，<u>颜回</u>就回去了。过了几天，<u>颜回</u>又来看<u>孔子</u>，说："我进步了，我忘掉了'仁义'"，<u>孔子</u>说很好，但还不够，<u>颜回</u>就又回去了。过些日子，<u>颜回</u>第三次来，说："这次我真的觉悟了，我'坐忘'了[2]"，<u>孔子</u>惊奇地问："什么是'坐忘'？"，<u>颜回</u>说："我忘掉了我的身体，抛开了自己的聪明，离开了对身体的执著，也离开了对外在知识的追求，和'大道'融为一体，这就是'坐忘'"。<u>孔子</u>说："与自然相同也就没有什么偏私了，你与'大道'融为一体，能够顺应自然的变化，你的发展变化就不会再受限制了，我也要跟你学了"。

　　从上面简单的介绍可以看出，<u>庄子</u>也和<u>老子</u>一样，是强调"自然"、"无为"的。但是，<u>老子</u>和<u>庄子</u>又有些不同：<u>老子</u>认为人人都可以通过自我身心内外的修养而达到超越的境界，而<u>庄子</u>认为只有至人、神人、圣人这一部分人才可能觉悟，超越自我身心的限制。

1　《庄子·逍遥游》"若夫乘天地之正，而御六气之辩，以游无穷者，彼且恶乎待哉！故曰：至人无己，神人无功，圣人无名"。六气指阴、阳、风、雨、晦、明的变化。(Chapter 1, *Zhuangzi*. 六气 refers to the changes of *yin*, *yang*, wind, rain, darkness and light.)

2　《庄子·大宗师》"堕肢体，黜聪明，离形去知，同于大通，此谓坐忘。仲尼曰："同则无好也，化则无常也，而果其贤乎！丘也请从而后也"。(from *Zhuangzi*)

思考题：

❶ 道家两个代表人物的学说分别有什么特色？

❷ 解释道家的"无为"，你认为在现代生活中适用吗？

❸ 道家学说有什么特色？它对我们平衡物质生活和精神生活有什么帮助？

❹ 对于道家学说"无为"这个思想观点，有人批评，有人欣赏，试加以分析讨论。

❺ 有人说道家的"自然无为"就是让事物顺其自然，不要干涉，你认为这应用到政治管理中正确吗？举例加以讨论。

❻ 你所了解的道家思想理论对你的生活有影响吗？哪些是正面的？哪些是负面的？为什么？你怎样对待它们？

背景知识

道教的产生和发展

　　道教大约产生于东汉末年（公元一世纪至二世纪），道教思想的来源十分久远，主要有3个：（1）上古时代流传下来相信鬼神的巫术文化；（2）战国中期产生的神仙方术思想。《史记》曾记载齐威王、齐襄王、燕昭王、秦始皇均派人入海求仙人、仙药，希望长生不死；（3）老子为代表的道家哲学思想。神仙思想与老子的道家思想结合在一起，并神话老子，尊老子为教主，形成了中国的道教。

　　道教最早的创始人当首推东汉末年的张陵（张道陵），他被后来的道教徒尊为"天师"，叫张天师，因此他所建立的道也叫"天师道"。东汉末年，稍晚于张陵的还有张角，他创立了太平道，以符水、咒语为人治病，深得群众拥护，他组织并发动了"黄巾起义"。到了隋唐两宋时期，道教进入了全盛时期，因为唐朝政权姓李，老子也姓李，道教得到朝廷的尊崇，李唐政权尊老子为"太上玄元皇帝"；宋朝尊老子为"太上老君混元上德皇帝"，这一时期道教开始分派，其中著名的有"全真道"和"正一道"，全真道创始人是金代道士王重阳，他提倡三教（儒、佛、道）合一，劝人诵《道德经》、《般若心经》和《孝经》。王重阳的弟子丘处机回答元太祖应该用"尊敬上天、保护人民为根本"来治理国家，"使心灵清静，减少欲望为重点[1]"来得到长生之道，深得元太祖器重，于是令他统辖全国道教。道教到明清时期，逐渐衰落下来。

道教的基本信仰和修炼方法

道教的基本信仰是希望通过获得"道"，而修炼成为长生不死的神仙，他们信仰"道"，认为"道"是万物的根本，万物皆由"道"生，因此得到"道"就能成仙，由此可见，道教思想很重要的部分是从老子关于"道"的思想发展而来的，道教既信奉神仙，同时还信仰鬼神，从这种信仰出发，道教又可分为"丹鼎派"和"符箓派"。"丹鼎派"是希望通过炼丹和吞食金丹而成为神仙，"丹鼎派"又分外丹与内丹两派。外丹是用炉鼎烧炼的，它的主要原料是矿物，如铅、汞（水银）、硫磺等，经过冶炼，制成金丹，希望人吃了可以长生不死。内丹派以人身体为炉鼎，以体内的精、气、神为原料，用意念进行引导，三者凝结成为"圣胎（丹）"。由于冶炼外丹的原料大部分具有毒性，人食后常中毒死亡，所以到了宋代，外丹法逐渐为内丹法所取代，一些内丹派通过正确的方法修炼，确实可以使人健康、祛病、长寿。"符箓派"从古代巫术发展而来，通过画符、念咒等方式来驱使鬼神、治病、消灾。

道教的神与仙

道教是宗教，因而道教相信神仙、鬼怪，道教中的"神"是自然形成、本来就有的，如各种天神。而"仙"则是人通过修炼，得道而成的，因此，"神"与"仙"是有差别的，"老而不死曰仙"，老了以后不死就叫做"仙"。道教信奉的重要神仙有：三清真神即玉清元始天尊（亦称天宝君）、上清灵宝天尊（亦称太上道君）、太清道德天尊（亦称太上老君），玉皇大帝（统管天神和人、鬼），西王母，八仙等。

鲁迅先生在给朋友的信中曾说："前曾言中国根柢全在道教，此说近颇广行。以此读史，有许多问题可以迎刃而解。后以偶阅《通鉴》，乃悟中国人尚是食人民族，因成此篇。此种发现，关系亦甚大，而知者尚寥寥也。[2]"。鲁迅先生在这里，是用极其简洁的语言，批评了道教在中国传统文化中的地位和作用。

1　《元史·释老传》(from *the History of Yuan*)

2　《鲁迅全集》第9卷第285页，1918年8月20日给许寿裳的信，北京人民文学出版社1958年版。(A letter to XU Shoutang, dated 20th Auguest, 1918. *In Volume 9, Complete Works of Lu Xun*, p. 285. Beijing People's Literature Publishing House, 1958.)

考试说明

一 要求

考试的具体要求有:

1. 选定儒家或道家的相关内容,用中文写一篇500至1,000字的文章;

2. 必须写文章题目;

3. 必须写纲要(不多于100字);

4. 写参考书目和材料(选历史、地理、社会的必须列写参考书目材料)。

选择"儒家或道家学说的基本思想教义与中国社会"作为论文内容,要求学生不仅要熟悉儒家或道家思想的一些基本概念,还要简单了解中国历史以及儒家、道家思想的一些发展变化,并将儒家、道家思想的一些概念和原则与中国社会在发展过程中出现的各种问题结合起来,从文化、政治、社会的角度加以分析。注意一定要有自己的观点和见解,如果一篇论文见解独特,并有正确的材料和科学的逻辑,得到好成绩是必然的。

困难的是,同学们大都没有古文阅读的基础,不能直接从原著中感受到作者的意图,所以,选择一些好的参考书至关重要,Edexcel推荐的参考书,可以阅读:

Fairbank J K and godman M – China: a New History (1998) in English (Cambridge, MA: Harvard University Press) ISBN 0674116739 (translated in Chinese, 3rd edition, Cheng Chung Book Co. Ltd., Taiwan, 2004, ISBN 950913924

Hsu I. The Rise of Modern China. OUP. 1990.

Spence, J. The Search for Modern China. W W Norton 1999.

如果想参考原文和翻译,《论语》有杨伯峻注释的版本,《老子》和《庄子》有陈鼓应注释的版本,都可以作为很好的参考书。

二 技巧

一篇好的论文,字数大体应在750–1,000之间,过多或过少,都会影响成绩。在这样一篇很短的文章之中,要想讨论一个很大的题目是很难的,也不容易取得好成绩。论文的重点是向别人展示自己对儒家或道家思想在社会发展中遇到一些问题的独到见解,展示自己有收集重要材料、并能用科学的方法和严谨的逻辑说明材料的本领，所以：

1．论文题目从小处入手，紧密结合实际，是迈向成功的第一步，选题不可以过于偏激，讨论社会问题时不能有对一个国家或政党侮辱和谩骂的内容，更不能有种族歧视的内容；

2．选定题目后，就要设计一个论文提纲，决定自己的论文要说明什么具体的问题，分几步说明，使用什么材料来说明；

3．然后开始收集材料，材料应尽量从正规出版物，如图书、学术期刊中选取，除非很必要，尽量不从互联网上寻找（一些正规的新闻、学术网站除外），引用别人的话或观点，一定要注明来源（包括作者、书名、版本、参考章节、出版社、年代；如引用互联网上的信息和观点，则应注明：网站名称、作者、文章名、完整的链接地址和收集日期）。收集了一些材料之后，可能会对题目有新的认识，可以重新组织提纲；

4．论文题目、提纲、材料准备齐全之后，就可以动手写第一稿了，第一稿最好一气写完。这里有一点需要特别注意，论文是写给专家看的，一些常识性的文字绝对不要写，如孔子生平的介绍、当时社会背景的介绍，一些古文的翻译等等都不要写，写这些会严重影响成绩。

800－1,000字的论文，对于参加A2考试的同学们来说，一个周末就可以写完。写完之后，可以对照提纲进行检查，首先看自己的观点是否明确；再看结构是否完整、合理；之后检查引用材料是否恰当、合适，是否能说明你的观点；最后检查全篇文字是否通顺，有无错别字，把不能说明观点的多余文字全部删除，将字数控制在800－1,000字左右，这样就将会是一篇好论文。

Topic 5　Literature

王蒙《说客[1]盈门》

　　王蒙，中国当代著名作家。1934年生于北京。上中学时参加中国共产党领导的城市地下工作，1948年入党。1953年开始文学创作，以短篇小说《组织部来了个年青人》引起社会关注。1957年被错划为右派[2]，六十年代调往新疆。1978年调回北京，后来曾先后担任北京市作家协会副主席、《人民文学》杂志主编、文化部部长、中国作家协会副主席等职位。1989年他辞去文化部部长之职，专心创作。主要作品有长篇小说《青春万岁》、《活动变人形》、《恋爱的季节》、《失态的季节》、《踌躇的季节》、《狂欢的季节》及大量中短篇小说和散文等。王蒙对生活敏锐[3]、深刻的观察力，以及其勇于探索新的艺术表现形式的进取精神赢得了广大读者，他的不少作品被译成多种文字在十几个国家出版。

　　《说客盈门》这部短篇小说发表于1980年，是王蒙采用传统相声[4]手法来尝试进行讽喻性寓言体小说写作的开端。通过幽默的语言，他讽刺了"说情"这种社会现象，却又在讽喻[5]中暗含着对厂长丁一的表扬，在幽默中隐含着严肃的主题。这个故事是这样的：某县玫瑰香牌浆糊厂厂长丁一到任后，发现厂里管理不善，劳动纪律[6]松弛。县委书记的表侄龚鼎是厂里的合同工，连续四个月不上班也不请假，经常吵闹，打管理员，还拒绝接受教育。丁一做出决定，解除合同，将龚鼎开除。之后几天，很多人纷纷到丁一家里为龚鼎说情，可是都被丁一拒绝了。作者在文中有这样一段描述：

　　请读者原谅我跟小说做法开个小小的玩笑，在这里公布一批千真万确[7]而又听来难以置信[8]的数字。

　　在6月21日至7月2日这十二天中，为龚鼎的事找丁一说情的：199.5人次（前女演员没有点明，但有此意，以点五计算之）。来电话说项92人次：33。来信说项人次：27。确实是爱护丁一、怕他捅漏子[10]而来的：53，占27%。受龚鼎委托而来的：20，占10%。受丁一的老婆委托来劝"死老汉"的：8，占4%。

1　说客 (shuìkè)：persuasive talker
2　右派 (yòupài)：the right wing
3　敏锐 (mǐnruì)：keen; acute
4　相声 (xiàngsheng)：comic dialogue
5　讽喻 (fěngyù)：parable;allegory
6　纪律 (jìlǜ)：discipline
7　千真万确 (qiānzhēn wànquè)：absolutely true
8　难以置信 (nányǐ zhìxìn)：beyond belief
9　说项 (shuōxiàng)：speak favorably of another
10　捅漏子 (tǒng lòuzi)：get into trouble;make a mess of something

未受任何人的委托，也与丁一素无来往甚至不相识，但听说了此事，自动为李书记效劳而来的：46，占23％。其他4％属于情况不明者。

　　我们知道，幽默作品的基调是写实的，是在写实基础上的夸张。这一大堆统计数据正是小说幽默的特性的一个表现。此外，幽默在这里不仅作为一种语言手段被王蒙用来创造喜剧气氛和塑造戏剧形象，而且作为一种情节手段来结构整个作品，创造出一个支撑全篇的喜剧冲突。照理说，丁一处分这样一个屡[1]犯厂规的龚鼎是理所当然[2]的事，为龚鼎说情才是违背原则的。可是小说里的众说客却又摆出一副振振有词[3]、情真意切的样子，这就构成了作品的喜剧冲突。这样的冲突使我们看清了丁一所处的社会环境，那就是不正之风严重，一些人自觉或不自觉地开后门，拉关系，不讲原则，为了县委书记的表侄，居然会以各种形式来表演一番。王蒙正是把丁一放到这样一个环境中，来突出他的坚持原则，突出他"是钢，不是浆子"的性格。

思考题：

❶ 请简要介绍一下这篇小说的情节和主题。

❷ 为什么丁一家会说客盈门？这反映了什么社会现象？

❸ 丁一是怎么处理他们的说情的？请分析一下丁一是个什么样的人物。

❹ 这篇小说最大的特色是什么？请举例说明。

Reference

陈孝英 (1983) 论王蒙小说的幽默风格. *文学评论*, (02)

郭宝亮 (2006) 论王蒙的"讽谕性寓言体"小说. *海南师范学院学报(社会科学版)*, (03)

---

1 屡 (lǚ): repeatedly

2 理所当然 (lǐsuǒ dāngrán): be both natural and right

3 振振有词 (zhènzhèn yǒucí): speak plausibly and at length

茹志鹃《百合花》

茹志鹃（1925－1998）生于上海，祖籍[1]浙江杭州。她是中国20世纪50年代后期成名的一位女作家。1943年参加新四军，一直在军区前线话剧团和军区文工团工作。1947年加入中国共产党。1955年转业到中国作家协会上海分会，任《文艺月报》编辑。1958年她的短篇小说《百合花》发表，受到读者广泛的好评，是她的成名作。这个仅六千多字的小说，尽管故事简单，人物不多，却鲜明地表现了作者的创作风格。

取材角度独特是茹志鹃创作风格的第一个特色。《百合花》这篇小说取材于解放战争中的生活，但作品没有去正面描写战争的宏大场面，而选择从人民解放军的一个小通讯员入手，描写了战争中的一个小小的片断，讲述了那个时代的一个感人故事。作品是以时间为顺序（即1946年中秋节的白天至半夜），以"我"的耳闻目睹[2]为线索，通过叙述小通讯员护送"我"到前沿包扎所、"我们"向新媳妇借被子、小通讯员为救人牺牲、以及新媳妇为通讯员遗体盖被子等情节，塑造[3]了通讯员和新媳妇这两个平凡而又感人的人物形象，歌颂了人民战士为人民英勇献身的崇高品质和人民群众热爱解放军战士的真挚[4]感情，深刻地表现了拥军爱民的主题。

茹志鹃创作风格的第二个特色是十分注重细节描写，善于通过典型细节的描写，表现人物的精神风貌。《百合花》为我们塑造了一个可爱可敬的通讯员形象。茹志鹃刻画小通讯员，并不是正面描写他的英雄壮举，而是尽量描写他的腼腆[5]、拘谨[6]的神态、举止，从他平淡的一言一行中挖掘他的心灵美。从他送"我"到前沿包扎所的路上的举止以及对话描写中，我们可以看出他是一个憨厚[7]、朴实，还带有几分天真稚气的青年。去包扎所的路上，他发现"我"走不动时，就"自动在路边站下"等着我；当他了解到借来的被子是新媳妇唯一的嫁妆时，他感到内疚、不安，要送回去；当他要回团部时，他还把自己的两个馒头留下来给"我"。这些虽然都是平常小事，却表现出他有一颗关心别人，处处为别人着想的美好心灵。在一次战斗中，为了保护群众，他毫不犹豫地扑向正在冒烟的手榴弹，献出了自己年轻的生命。他的这种舍己为人[8]的英雄

1　祖籍 (zǔjí)：domicile of origin
2　耳闻目睹 (ěrwén mùdǔ)：what one sees and hears
3　塑造 (sùzào)：to portray or describe
4　真挚 (zhēnzhì)：truehearted
5　腼腆 (miǎntiǎn)：timid; shy
6　拘谨 (jūjǐn)：overcautious;reserved
7　憨厚 (hānhòu)：simple and honest
8　舍己为人 (shějǐ wèirén)：sacrifice one's own interests for the sake of others

行为，正是他平时关心他人的高贵品质的集中反映。

新媳妇的形象，也塑造得十分鲜明、生动。她是一个普通的农家少妇，长得很美，"高高的鼻梁，弯弯的眉，额前一溜蓬松的留海"。作者不仅描写她外表的美，更通过细腻[1]的心理描写，来刻画她心灵的美。开始，她舍不得将自己唯一的嫁妆新被子借给伤员盖，但是在"我"讲了解放军部队打仗为老百姓的道理之后，她便借出了自己的新被子，后来更是主动地把它盖在小通讯员的遗体上；她到包扎所帮助护理伤员，开始她还很害羞，后来却主动地给小通讯员解衣服、擦身子，流着眼泪为他缝补衣服上的破洞。通过描写这些心理态度的变化，作者写出了新媳妇对解放军战士真挚的感情。所以，注重人物心理描写，是茹志鹃创作的第三个特色。

思考题：

❶ 这篇小说的取材有什么特色？有哪些主要的情节？表现了怎样的主题？

❷ 这篇小说有哪些主要人物？他们是怎么认识的？他们和小说的主题有什么关系？

❸ 这篇小说在刻画人物方面有什么特色？请结合小说情节解释说明。

❹ 为什么新媳妇最初不愿意借出被子，后来又同意借出了？作者是怎样通过这床被子表达小说的主题的？

Reference

窦玥（2004）百合花何以能够粲然开放?——《百合花》艺术特色探析.《语文学刊》,(04)

贾晓晖（2006）一朵纯洁清雅的百合花——茹志鹃小说《百合花》例析.《现代语文》,(06)

王琳琳（2004）战争年代的"百合花语"——细读《百合花》.*作文世界(高中)*,(06)

---

1 细腻 (xìnì)：fine; delicate

鲁迅《故乡》

　　《故乡》这篇小说的作者鲁迅（1881—1936），是中国著名的文学家和思想家。他原名周树人，字豫才，浙江绍兴人。1902年去日本留学，原学医，后从事文学工作，企图以此改变国民精神。从1918年开始，他以"鲁迅"为笔名发表了很多影响深远的作品，所以人们习惯称他为鲁迅。

　　《故乡》写于1921年，其中的故事情节和主要人物，大多取材于真正的现实生活。它深刻地概括了1921年前的30年内，特别是辛亥革命后十年间中国农村经济衰落[1]，农民生活日益贫困的现实，反映了那个时代的社会风貌。

　　小说的情节发展可以分成三个阶段：回故乡、在故乡和离开故乡。在这三个阶段中，作者向我们描述了三幅故乡的画面：一个是回忆中的故乡，一个是现实中的故乡，一个是理想中的故乡。

　　作者，也就是"我"回忆中的故乡是优美动人的：故乡有深蓝的天空，金黄的圆月，碧绿的西瓜，五彩的贝壳，还有紫色圆脸、项带银圈的少年闰土。他教"我"在雪天捕鸟，在夏天捡贝壳，以及其他"无穷无尽的稀奇的事"。我们可以看到，这个回忆中的故乡不仅仅是过去的美好现实，也是少年的闰土和"我"的美好心灵的反映。少年的心灵是纯真的、自然的、活泼的，还没有被封建[2]道德束缚[3]。但是，这样的心灵状态不是永久的，生活使人的心灵变得沉重，使人与人的关系变得复杂。当成年的"我"在20多年后回到故乡时，这个回忆中的故乡消失了。"我"看到的是一个由成年人构成的现实的故乡。

　　在这个现实中的故乡，少年时活泼勇敢、无忧无虑[4]的闰土已经不见了，变成了一个神情麻木[5]，沉默少言的"木偶人"。为什么闰土在少年时可以跟"我"一起到处玩耍，现在却恭恭敬敬[6]地叫我"老爷"呢？作者用闰土的一句话回答了这个问题：因为"那时是孩子，不懂事"。这里所说的"事"，实际上是中国传统的封建礼法关系和等级观念。中国的封建社会是建立在一套人与人不平等的礼法关系上的。帝王与臣民、官僚[7]与百姓、大官与小官、老师与学生、父亲与儿子、男性与女性，都被认为是上下等级的关系。成年的闰土已经懂得了这套礼法关系，认为他的地位比"我"低，不再把"我"看成是平等的

1　衰落 (shuāiluò)：decline; go downhill
2　封建 (fēngjiàn)：feudal
3　束缚 (shùfù)：tie; bind
4　无忧无虑 (wúyōu wúlǜ)：carefree; worriless
5　麻木 (mámù)：benumbed;insensate;be dead to all feeling
6　恭恭敬敬 (gōnggōngjìngjìng)：reverent; respectful
7　官僚 (guānliáo)：government officials;politicians

朋友。少年时的纯真友情完全被封建等级观念破坏了。也正是这样的封建道德压抑了闰土的生命力，使他消极地忍耐所有的不幸，越来越麻木。

作者在描述现实中的故乡时，还刻画了另一个人物——杨二嫂。她以前是开豆腐店的，年轻美貌，"擦着白粉，终日坐着"，文静，安分。现在，她"凸颧骨[1]、薄嘴唇"，"张着两脚，活像画图仪器里细脚伶仃[2]的圆规"，说话刻薄[3]，开口就向"我"要东西，要不到竟然还偷和抢。这样的变化间接地反映了当时农村经济的衰落和小市民生活的艰难。

回忆中的故乡美好却已经消失，现实中的故乡让人感到痛苦和难以忍受，"我"就很自然地产生一种希望，希望现实中的故乡也像回忆中的故乡那么美好，希望现实中的故乡人也像少年闰土那么活泼勇敢，希望宏儿和水生的友谊不会变质，希望少年的一代过一种新的生活，不要像"我"一样辛苦辗转[4]地生活，也不要像闰土一样辛苦麻木地生活，也不要像杨二嫂一样辛苦恣睢[5]，丧失道德的生活。这就是"我"对故乡的理想。

这样的理想能不能实现呢？作者并没有做出明确的回答。他在小说的最后说道："希望本是无所谓有，无所谓无的。这正如地上的路；其实地上本没有路，走的人多了，也便成了路。"也就是说，一种理想能不能实现，关键在于有没有人去追求。追求的人越多，希望也就越大。

读到这里我们发现，整篇小说都在运用对比的手法，例如，把现实中故乡萧条[6]、荒凉的环境与回忆中的故乡环境对比，把20年前的闰土、杨二嫂的样貌、性格与现在的对比，把闰土和"我"的关系与水生和宏儿的友谊对比。通过这样一组组的对比，反映了当时的社会现实，表现了作者对不幸者的同情，并对新的生活寄予了很大的希望。

思考题：

❶ 有人说鲁迅的《故乡》实则描写了三个故乡，一个是回忆中的故乡，一个是现实中的故乡，一个是理想中的故乡，你是否同意？说出你的理由。

❷ 闰土为什么会改变？你对这个改变有什么感想？

---

1 颧骨 (quángǔ)：cheekbone
2 伶仃 (língdīng)：thin and weak
3 刻薄 (kèbó)：harsh; mean
4 辗转 (zhǎnzhuǎn)：to pass through many places
5 恣睢 (zìsuī)：reckless; unbridled
6 萧条 (xiāotiáo)：desolate; bleak

❸ "我"希望宏儿和水生应该有怎样的新生活？说些你的看法。

❹ 小说中运用的对比有哪些？请结合小说中的描写具体说明。

Reference

刘爱华，刘燕妮（2004）《故乡》人物的抒情性和哲理性. *语文天地*，(14)

孙稳重，王晓枫（1998）鲁迅《故乡》中杨二嫂人物形象的塑造. *太原师范学院学报(社会科学版)*，(01)

王富仁（2000）精神"故乡"的失落——鲁迅《故乡》赏析. *语文教学通讯*，(Z4)

巴金《春》

巴金（1904—2005），原名李尧棠，字芾甘，四川成都人，祖籍浙江嘉兴。现代文学家、出版家、翻译家。同时也被誉为是"五四"新文化运动以来最有影响的作家之一，是20世纪中国杰出的文学大师、中国现代文坛的巨匠。巴金一生创作了几十部伟大的文学作品，而《激流三部曲》无疑是这些作品中的一颗恒星。作为巴金早期的作品，它们充满了批判、理想和希望。也正因此，巴金才给它们取名"激流"。

《激流三部曲》包括《家》、《春》、《秋》三部作品。它们是相对独立而又前后密切相承的三个部分。他们拥有一个共同的时代背景——"五四"运动之后，以及一个共同的故事主体——高家。作为三部曲中的第二部，《春》无疑有着承上启下[1]的作用。

《春》的故事还是发生在成都高家这个有着五房[2]儿孙的大家族。承接着《家》中交代的情节，觉慧逃出家庭后获得了自由，但高家的悲剧还在一幕幕上演。觉新的继母周氏的娘家人来到成都，要为觉新的表妹蕙完婚。蕙是一个聪明美丽的女孩，却被顽固的父亲许给荒淫[3]的郑家，大家都替她惋惜[4]。觉新在她身上看到梅与瑞珏的影子，却无力帮助。这时，觉新的爱子海儿不幸病死，他对生活更加没有了信心。觉民与琴则积极参加学生运动，并鼓励家中的

---

1 承上启下 (chéngshàng qǐxià): form a connecting link between the preceding and the following
2 房：branch of a family
3 荒淫 (huāngyín): incontinent
4 惋惜 (wǎnxī): feel sorry

弟弟妹妹走出家庭。

三房的淑英被父亲许给冯家，她极力想要摆脱不幸的命运，觉民与琴决心帮助她脱离家庭，去上海找觉慧。蕙完婚后过着不幸的生活，很快就患病，因为婆家不肯请西医耽误了医治，默默地死去。蕙的死再一次刺激了觉新，也使他开始支持觉民等人的计划。最终，淑英在觉民等人的帮助下被护送到了上海。在《春》的结尾，觉新等人收到她从上海的来信，信中倾吐了她获得自由后的幸福。

《春》，以至《激流三部曲》的成功在于生动地塑造了一系列生活在这个封建大家族中的年轻人的艺术形象。而其中，觉新作为贯穿三部曲的中心人物，这个封建大家庭中的大小事情都与他有关系。他的性格，像一个头绪纷乱的线团，是与非、善与恶、喜与悲、追求与失望、屈辱与痛苦纠缠在一起，矛盾而又复杂。

觉新是受封建礼教毒害的牺牲者的典型。他是与觉慧同时代的青年，可是长[1]房长孙的地位和封建礼教的熏陶[2]却使他成为一个有双重性格的人。他虽然还很年轻，可是思想上已经相当衰老；他虽然有自己的理想、爱好和追求，但在关系到自己的前途命运的重大抉择面前，却事事服从家庭的安排与他人的摆布；他深受封建礼教之害，却又自觉不自觉地用封建礼教害人；他在灵魂深处同情年轻人的叛逆行为，却又直接或间接地参与对他们的压制和迫害。客观上和主观上的原因，使觉新内心极度矛盾、精神剧烈痛苦。巴金从时代背景和人物思想两个方面深深发掘，成功地塑造了一个"五四"时期出生于封建家庭的具有双重性格的青年典型。

除了中心人物觉新，《春》里的女性形象也塑造得非常成功。蕙是一个被封建制度吞噬[3]了的女性形象。她的父亲为了巴结人面兽心[4]的冯乐山，硬把她嫁给没有一点人情味的郑国光。这种本质上不过是一场交易的婚姻，决定了蕙在郑家既没有地位也没有尊严的生活。她不仅收到公婆的欺压，还受到丈夫的虐待，以至未老先衰，一病不起，死后还不得入土，得不到灵魂的安息。巴金塑造这样的形象，当然不仅仅是对牺牲者表示哀悼，而是对封建制度愤怒的控诉。而且更重要的是要激励广大青年和广大人民，一起来对抗罪恶的封建制度。

另一个关键的女性形象是淑英。淑英所处的环境，造成她复杂的性格，可

1　长 (zhǎng)：the eldest
2　熏陶 (xūntáo)：polish
3　吞噬 (tūnshì)：devour
4　人面兽心 (rénmiàn shòuxīn)：have the face of a man but the heart of a beast
5　枷锁 (jiāsuǒ)：shackle

以说她经历了欢乐、忧郁和坚强三个阶段。少女时期的淑英是欢乐的，可是封建婚姻的枷锁[5]很快就使她纯洁的心灵蒙上了阴影，而变得忧郁起来。她从一些外国小说和新杂志中看到了一个新的世界。在那里，跟她一样的女子能够自己支配自己的命运，自由地生活。她羡慕起这样的生活。这时，琴每次来都给她灌输[1]一些新思想，使她开始转变。淑英最终走上了一条与蕙截然[2]不同的道路，勇敢地跟家庭决裂，赢得了自由。

激励和帮助淑英的琴是巴金塑造的一个"五四"时期新女性的形象。她自己选择自己的生活道路，并且勇敢坚决地为之奋斗。她不仅自己追求理想，还热情地帮助淑英从徘徊[3]中走向光明。琴这样的女性，不仅仅是要改变自身被封建制度埋葬[4]的命运，还要成为封建制度的埋葬者。显然，这样的形象寄托[5]了作者的追求与理想。

思考题：

❶ 请叙述《春》的故事梗概。

❷ 淑英和蕙的遭遇有哪些相同，又有哪些不同？不同的原因是什么？巴金想通过这些不同表达什么？

❸ 试分析觉新的性格特点。

❹ 请分析琴这一女性形象。作者想通过这一形象表达什么？

Reference

李春兰（1998）巴金"激流三部曲"中的女性形象. *求是学刊*，（04）

王永鸣（1996）论觉新的双重人格. *黔南民族师范学院学报*，（02）

---

1 灌输 (guànshū)：indoctrinate
2 截然 (jiérán)：completely; sharply
3 徘徊 (páihuái)：hesitate
4 埋葬 (máizàng)：bury
5 寄托 (jìtuō)：place hope on

南海十三郎

南海十三郎是香港上世纪二三十年代著名的粤剧[1]编剧及电影剧作家，本名江誉镠，1909年出生于广州南海，在家中排行十三。十三郎从小非常聪颖，17岁就考入中山大学法律系，年年考试名列前茅[2]。毕业后的他并没有进入法律界，反而孜孜不倦[3]地钻研广东传统音乐和戏曲，流连[4]于各大戏院间。三十年代即驰名广东和香港，为粤剧红伶[5]薛觉先（电影中的薛老五）编写了《心声泪影》。他的代表作还有《女儿香》、《燕归人未还》、《李香君影》、《幽香冷处浓》、《璇宫艳史》等。十三郎个性清高[6]，自小就喜欢仗义出头，抗日战争时，更拒绝为伪军[7]演出，后避难香港，郁郁而终[8]。他的生平事迹广为流传，被杜国威改编成为电影，由高志森导演，谢君豪主演，1996年在香港上映。

杜国威采用了倒叙、旁叙等手段来讲述南海十三郎的一生。影片是这样开始的：在香港街头，一群人在听一个说书人讲故事。一辆警车开来，以妨碍交通为名将说书人带回警局。有两个人为了继续听故事而跟警察动手，为的是能和说书人一起被带回警局。说书人说的是多年前一个著名的粤剧编剧南海十三郎的故事。十三郎生于广东南海的一个书香门第[9]，父亲是江太史公。大学时的一次舞会上，他对上海女子莉莉一见钟情，就放弃学业，追随她到上海，但莉莉对他并无好感。十三郎在上海流落街头。两年后他回到家乡，但已被学校开除。他每天去戏场看戏，与戏班老板薛老五结识。他为薛老五写了新曲子，从此取艺名为南海十三郎。随着他的戏被广为传唱，南海十三郎的名气也随之大增。十三郎是个天才，他同时写几部戏，几个人同时记谱都跟不上。一天来了个叫唐涤生的青年，他为十三郎记谱并拜他为师。抗战爆发后，南海十三郎到江西写剧本慰劳战士，却因为不愿意编写低俗的戏剧而动手打了军官。战争结束后，十三郎回到了广东，但没有人请他写剧本，他写的抗日剧本没人看也没人演。十三郎疯了，他流浪到香港，冻死在香港街头。十三郎的故事讲完了，说书人被保释出狱，大家问说书人和十三郎什么关系，说书人告诉大家，这只是一个潦倒[10]的编剧在讲另一个编剧的故事。在影片中，杜国威把除了十三郎

1　粤剧 (yuèjù)：Guangdong opera
2　名列前茅 (míngliè qiánmáo)：be on the top of the list; to leave all others behind
3　孜孜不倦 (zīzī bùjuàn)：persevere
4　流连 (liúlián)：linger
5　红伶 (hónglíng)：popular actor or actress
6　清高 (qīnggāo)：morally lofty or upright
7　伪军 (wěijūn)：puppet army in the Anti-Japan War (1937 – 1945)
8　郁郁而终 (yùyù ér zhōng)：die with depression
9　书香门第 (shūxiāng méndì)：literary family
10　潦倒 (liáodǎo)：be down and out

之外的角色的个性几乎全部淡化。在紧凑的节奏之下，我们看见了一个任情任性、恃才傲物[1]、不与世俗妥协[2]的南海十三郎。

电影中有四场十三郎流泪的戏给人留下了深刻的印象。十三郎第一次流泪是他在火车上再遇年少时心仪的女子时，因为她竟然认不出潦倒的他了。伤心绝望之下，他嘟囔[3]着"为什么不在我最风光的时候遇见她"跳下火车，造成了脑震荡[4]，使他时而清醒时而疯癫[5]。第二次流泪是在他与徒弟唐涤生在香港重逢时。这一段是全片最感人的地方。在十三郎落魄[6]的时候，唐涤生却风头正劲。当十三郎洗去他身上多年的泥垢，清醒地出席唐涤生新戏上映时，偏偏唐涤生突然心脏病发去世，十三郎为失去这位知己而痛哭，重又陷入疯癫之中，被送入精神病院。第三次流泪是在十三郎从精神病院出来在一家寺庙当导游时。这时他无意中得知了自己父亲的去世，在这个世界上最亲的人离他远去了，他生存在这个世界上的意义已经彻底没有了，可是这个世俗的社会还在折磨着他，于是他选择了更加疯癫。第四次流泪是在他离开人世的时候。他死的那么凄凉，躺在寒夜的街头，满是枯黄的落叶和萧瑟[7]的风，双脚连一只鞋都没有，只剩那张写着"雪山白凤凰[8]"的纸盖在他那张早已失去光彩的脸上。这四场感人的戏更加突出了一个天才悲剧的一生。

有一个细节不得不提，那就是上面说到的雪山白凤凰。十三郎疯癫之后流浪在香港的街头时，整天带着一张纸，纸上只有"雪山白凤凰"五个字。旁人眼中那只是张白纸，但在十三郎眼里，这是一幅画，画着雪山顶峰的一只展翅欲飞的白凤凰。这样的细节安排，不但反映出十三郎清高自负的性格和高远的理想，也是在嘲讽世俗的人们不能理解他干净无瑕的内心世界。

思考题：

❶ 南海十三郎是个什么样的人？电影通过哪些情节来表现他的性格？

❷ 你对电影中哪个情节的印象最深？为什么？

---

1 恃才傲物 (shìcái àowù)：be conceited and contemptuous
2 妥协 (tuǒxié)：compromise
3 嘟囔 (dūnang)：mutter to oneself; grumble
4 脑震荡 (nǎozhèndàng)：cerebral concussion
5 疯癫 (fēngdiān)：insane
6 落魄 (luòpò)：come down in the world
7 萧瑟 (xiāosè)：bleak
8 凤凰 (fènghuáng)：phoenix

❸什么是"雪山白凤凰"？编剧安排这个细节的目的是什么？

Reference

萧子菁（2003）一个文人的悲怆：有感《南海十三郎》．

Available at: www.guxiang.com/wenxue/pinglun/yingshi/200301/200301110018.htm.

火神纪（2006）《南海十三郎》：雪山白凤凰之殇．

Available at: www.mtime.com/movie/28860/comment/12987/.

Author and year unknown,《南海十三郎》：天才都是"疯子"．

Available at: www.mtime.com/movie/28860/comment/11634/.

Part Four: Mock Exam

Section 1: Reading and Writing

Passage 1   Read the passage below, then anwer the questions in Chinese.
阅读下面的文章，然后用中文回答问题。

环保与发展 – 上海可以二者兼得吗?

　　上海已经转变为一座世界性的大都市，但是高速发展也带来污染、交通拥挤和人口过多等问题。

　　过去15年间，上海成为世界性的经济中心之一，发展速度几乎超过了世界上所有其他大城市。上海人口从1,350万增长到2,150万；人们生活水平提高的速度更快，目前人均收入7,000美元，位于中国前列。交通的发展也使上海的大气污染问题更为严重。上海市的私人汽车也获得了极大的发展，2006年私人汽车超过100万辆，两年内翻了一番。

　　现在上海市政府已经开始解决一些可能威胁到其未来发展的环境问题。虽然城市规模有了一定的发展，但是它的人口密度还是比西方城市高，每平方公里人口密度是纽约的四倍还要多。上海城市规划部门采取的对策是：通过在郊区建设卫星城*来控制市中心的人口增长。

有人对此提出批评说，卫星城的住宅普通老百姓买不起。他们指出，到目前为止，这些新城也不能为住户提供足够的工作机会，人们还得到市区工作，这样又增加了交通压力。

上海在处理环境问题方面，取得了一些成功。过去五年里，空气质量不好天数的比例从20%下降到10%。但是水污染的情况更加严重了，随着上海地区工业的快速发展，保持上海主要水源的清洁将更加困难。

*卫星城：satellite city

（摘选自BBC中文网站，2007年5月28日，作者：史蒂夫·希夫勒 http://news8.thdo.bbc.co.uk/chinese/simp/hi/newsid_6690000/newsid_6699000/6699021.stm）

---

❶上海的飞速发展带来了哪些问题？ （2）

❷上海在哪些方面有了发展？ （2）

❸上海市为什么要建卫星城？ （2）

❹建卫星城为什么会引来批评？ （2）

❺上海在处理环境污染方面有哪些成功之处？ （2）

（total 10 marks）

Passage 2   Translate the following passage into Chinese.
把下面的一段文字翻译成中文。

Habit

What is habit? Simply speaking, habit is a pattern of behaviour acquired through frequent repetition. Habit is very important in our daily life. Some say that habit decides personal characters, while these personal characters in turn decide one's fate. If you want to stand out of the crowds, you need to understand that it is your habits that decide your future.

Successful people are not necessarily a lot clearer than others, but there is at least one thing they share in common: they all have good habits. These good habits make them more effective and well organised.

John Maxwell* once said, "you will never change your life until you change something you do daily." What you do every day decides what kind of person you are. Make some small changes every day, after some time, you will become a much better person.

*John Maxwell: 约翰·马克思威尔

(total 10 marks)

Section 2: Topics and Texts

This section is worth 60% of the paper marks

Write an essay in Chinese of 500-1000 characters on ONE of the following 18 topics from the plan you have prepared.

- **Make sure to give your essay an appropriate title.**
- **Please hand in your essay plan with your answer. The essay plan should not exceed 100 characters.**
- **Give list of sources you have used (while it is not absolutely necessary to cite additional sources when writing the literary texts, it is essential to list any sources used in the case of topics).**

Modern Chinese History (1911 - 1976)

1. Warlords in China

2. The New Cultural Movement (1915-1924)

3. The relationship between the Nationalist and Communist Parties of China (1921-1949)

4. The Land Reform (1950-1952)

5. The Great Leap Forward (1958)

6. The Cultural Revolution (1966-1976)

Geography

7. The role of the Yangtze River OR the Yellow River in modern day China

8. The environmental, economic, developmental and cultural features or problems of a Chinese city (either Beijing, Shanghai, Guangzhou, Hong Kong or Taipei)

Society

9. China's traditions: festivals and customs

10. Confucianism (discussion of the basic principles in Chinese society)

11. Taoism (Daoism) (discussion of the basic principles in Chinese society)

12. Women's issues OR Gender issues in China (1911 to the present)

Literary Texts - Films

13. IN an flat 13 (Mad Phoenix) — Candidates may use any of the following versions:

    Film (main cast: Xie Junhao) OR Stage play (main cast: Xie Junhao) OR TV series (main cast: Lin Weichen, Chen Qitai)

14. Han Yan Cui (Mist Over Dream Lake) (main cast: Fang Ying, Qiao Zhuang)

Literary Texts - Books

15. Lu Xun: Gu Xiang (My Hometown)

16. Ba Jin: Chun (Spring)

17. Ru Zhijuan: Bai He Hua (The Lilies)

18. Wang Meng: Shuike Ying Men (A Court Full of Advisors)

下面一共18个论题，就你选定的一个论题，用中文写一篇500至1,000字的文章，注意：

- 必须写文章题目。
- 必须写纲要（不多于100字）。
- 写参考书目和材料（选历史、地理、社会的必须列写参考书目材料；选小说电影的，如有参考其他书本或材料，便需要列写清楚）。

历史（1911–1976)

1. 军阀
2. 新文化运动（1915–1924）
3. 国共关系（1921–1949）
4. 土地改革（1950–1952）
5. 大跃进（1958）
6. 文化大革命（1966–1976）

地理

7. 一条河流——长江或黄河，讨论其在今天的作用、影响与问题。
8. 一个城市——北京、上海、广州、香港或台北，选其中一个城市，讨论其在环境保护、经济、发展规划或文化等方面的状况与问题。

社会

9. 节日与习俗
10. 儒家学说（讨论其基本思想教义与中国社会）
11. 道家学说（讨论其基本思想教义与中国社会）
12. 妇女问题或者男女平等问题（1911年至今）

电影

13. 南海十三郎：可选用电影版（演员：谢君豪）或舞台剧版（演员：谢君豪）或电视剧版（演员：林韦辰、陈启泰）
14. 寒烟翠（演员：方盈、乔庄）

小说

15. 鲁迅：《故乡》
16. 巴金：《春》
17. 茹志鹃：《百合花》
18. 王蒙：《说客盈门》

Part Five: Grammar

COMPLEX SENTENCES

Chinese sentences consist of simple sentences and complex sentences. Simple sentences are called clauses. Complex sentences are also called multiple-clause sentences. These sentences are composed of two or more clauses that are closely related in meaning. These clauses form sentences based on specific grammatical relationships.

Chinese complex sentences fall into two categories according to the grammatical relationships between clauses: coordinative complex sentences and endocentric/subordinate complex sentences. Endocentric/subordinate complex sentences normally have one main clause with one or more subordinate clauses.

Below is a table demonstrating the different relationships between the clauses in complex sentences.

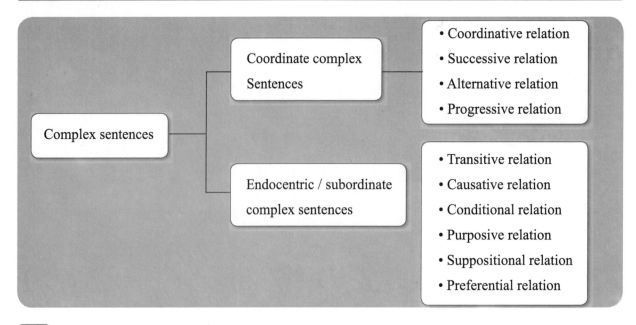

Complex sentences

Coordinate complex Sentences
- Coordinative relation
- Successive relation
- Alternative relation
- Progressive relation

Endocentric / subordinate complex sentences
- Transitive relation
- Causative relation
- Conditional relation
- Purposive relation
- Suppositional relation
- Preferential relation

1 Coordinate Complex Sentences

1. Coordinative relation

The two clauses are equal in relationship, without the difference of being primary or secondary. The clauses explain or describe several things respectively or explain the different aspects of one thing. For example:

> 我今年十六岁，他今年十七岁。
> 爸爸是英国人，妈妈是中国人。
> 他会说法语，也会说汉语。
> 不是我不想学习，而是没有时间。
> 他一边吃饭，一边看电视。
> 这件衣服又好看，又便宜。

The correlative words such as 也，又，不是……而是，一边……一边……，一面……一面，既……又…… are sometimes used in parallel compound sentences expressing coordinating relations.

2. Successive relation

Each clause tells that some actions and things have taken place in successive order, which cannot be reversed. The clauses are arranged according to the sequence of actions or to the relations between them. The meanings of the clauses are coherent. For example:

> 他进屋以后，坐下吃饭。
>
> 我们下了课，就去买咖啡。
>
> 她给弟弟打完电话，又给妈妈打。
>
> 雨一停，咱们就去散步。
>
> 你先做作业，然后再看电视。

Correlative words such as 然后，便，就，于是 can normally be used in the second or last clause.

3. Alternative relation

The clauses are choices for one to make. The clauses state different things that are alternatives, and only one of them is chosen. For example:

> 要么你去，要么我去。
>
> 是吃西餐，还是吃中餐？
>
> 与其坐公共汽车，不如开车去。
>
> 这本书不是哥哥的，就是姐姐的。
>
> 与其你来，不如我去。

Correlative words such as 是……还是，或者……或者，不是……就是，与其……不如 are often used.

4. Progressive relation

The second clause supplements the first clause. It is a step further in meaning from what is said in the previous clause. For example:

> 她不但会说法语，而且会说德语。
>
> 她不但会说法语，而且说得很流利。
>
> 不但安娜会唱中国歌，而且阿里也会。
>
> 我不仅要工作，还得学习。

As illustrated in the sample sentences, 不但……而且，不仅……还 are often used.

→ **The grammatical features of Coodinate Complex Sentences**

A coordinate complex sentence contains two or more than two clauses. For example:

> 他既聪明，又用功。
>
> 或者你来，或者他来，都可以。

Generally speaking, the order of the clauses of coordinative relation and alternative relation can be changed without affecting the meaning. But the order of the clauses of successive relation and progressive relation cannot be reversed at will. For example:

> 他能唱歌，也能跳舞。
>
> 他能跳舞，也能唱歌。
>
> (coordinative relation)
>
> 或者中餐，或者西餐，我都爱吃。
>
> 或者西餐，或者中餐，我都爱吃。
>
> (alternative relation)

> 他不但会说中文，而且会说法文。
>
> (progressive relation)
>
> One cannot say 他而且会说法文，不但会说中文。

> 他先去爬山，再写作业。
>
> (successive relation)
>
> One cannot say 他再写作业，先去爬山。

In terms of the usage (or the lack of it) of correlatives, generally speaking, clauses of progressive and alternative relations should be joined by correlatives, but with those of coordinative and successive relations, correlatives are not always essential. For example:

> 这种菜不仅好吃，而且很有营养。
>
> (progressive relation)

他是你老师，还是你同学？

(alternative relation)

今天星期五，明天星期六。

(coordinative relation)

学生们一下课，就去买咖啡。

(successive relation)

你们洗菜，我炒。

(successive relation)

➲ Where to place the correlatives in a coordinate complex sentence?

Normally, when the subjects of the two clauses are the same, the second one does not occur and the first comes at the beginning of the whole sentence. The conjunctions such as 或者，要么，还是，不仅 etc. should come after the subject. For example:

他不但喜欢游泳，还喜欢滑冰。

我要么明天去，要么后天去。

In the cases where the subjects of the two clauses are different, the correlatives such as 不但，而且，或者，还是 etc. should be placed before the subject. For example:

不但我每年去中国，而且我朋友每年也去中国。

All adverbs should be placed after the subject. For example:

你们先去吧，我过一会儿再去。

我们一出来，天就下雨了。

The following are the points that merit special attention when using coordinate complex sentences:

Correlatives denoting coordinative and alternative relations such as 一边，一面，一方面，还是，或者，又，不是 etc. can all be used in more than two clauses in a sentence. For example:

> 我一边走路，一边看风景，一边听音乐。
> 不是今天，也不是明天，而是后天他来英国。
> 我们或者打球，或者游泳，或者下棋。
> 他又累，又渴，又困。

In the cases that the relationships between the clauses are fairly clear, correlatives are not necessary. The correlative 和 can never be used between clauses. For example:

> 姐姐是大学生，妹妹是中学生。
> (coordinative relation)
> 你们发言，我作记录。
> (successive relation)

One cannot say that 姐姐是大学生，和妹妹是中学生 or 你们发言，和我作记录。

The order of the clauses introduced by 不是……而是……cannot be altered, otherwise the meaning will be changed. 不是我姐姐来看我，而是我妹妹来 and 不是我妹妹来，而是我姐姐来看我 are opposite in meaning.

The following table listed the commonly used correlative words in coordinate complex sentences.

Coordinative relation	……，也……
	……，又……
	又……，又……
	一边 ……，一边……
	一面……，一面……
	一方面……，一方面……
	不是……，而是……
	既……，又……
Successive relation	……，就……
	一 ……，就……
	……，于是……
	（先）……，然后（再，接着）……
	……，然后……

Progressive relation	不但……，而且（也、又、还）…… 不仅……，还（也）…… 连……也（都）…… ……，甚至……
Alternative relation	或者……，或者…… （还是）……，还是…… 不是……，就是…… 要么……，要么……

2 Endocentric Complex Sentences

Complex sentences formed by clauses of subordinate relations are called endocentric or subordinate complex sentences. In an endocentric/subordinate complex sentence, the clauses are not equally important in terms of meaning – the main clause carries the main idea while the subordinate clause only helps to make the sentence. There are six types of endocentric sentences as follows:

1. Transitive relation

One clause states a fact or an idea while another tells of something that is contrary to it. The second clause is the main clause which is opposite or in contrast to the first clause (the subordinate clause) in meaning. For example:

虽然是晴天，可是很冷。
我喜欢游泳，不过游得不太好。
她说今天回来，但是还没到。
她虽然很用功，但是成绩总是不好。
他虽然是北方人，但是能炒一手地道的南方菜。

Correlative words such as 虽然……但是（可是）……，只是，不过，否则，尽管……却 are often used.

2. Causative relation

One or more clauses tell a cause or premise, the other clause(s) states the result or inference drawn from the premise. For example:

因为天气不好，航班延误了。
由于太累，他不想吃饭了。
你既然不能喝酒，就别喝那么多了。
因为明天考试，所以他不想打球了。

Correlative words such as 因为……（所以）……, 由于……（所以）……, 既然……就…… are often used.

3. Conditional relation

The second or third clause is the precondition of the previous clause(s). One clause (the subordinate clause) puts forward a condition, the other clause (the main clause) states the resulting action. For example:

只要你来，他就高兴。
只有执著，才能成功。
不管你去不去，我都去。

As indicated in the sentences above, correlative words such as 只要……就，只有……才，不管……都…… are normally used.

4. Purposive relation

One clause is the purpose of another. One clause (the subordinate clause) indicates an action for a purpose which is expressed by other clause (the main clause). For example:

为了学汉语，他打算去中国生活一年。
我现在把书给你，免得你再来一次。
你做饭吧，好让你妈妈歇一会儿。

Correlative words such as 为了，为的是，免得，好 are often used.

5. Suppositional relation

One clause tells a supposition, the other expresses the result. One clause (the subordinate clause) puts forward an assumption while the other one (the main clause) states the result or inference drawn from the assumption. For example:

> 如果你用心学习，就会取得好成绩。
> 要是天晴了，我们去散步。
> 要是你去邮局，就帮我买张邮票，好吗?
> 即使我今年去不了中国，明年我也要去。

Correlative words such as 如果……就，要是……就，要是，即使……也 are often used.

6. Preferential relation

One clause (the subordinate clause) puts forward an extreme course of an action while the other clause (the main clause) indicates another course of action that will be adopted after comparison, i.e., to prefer one course to the other. For example:

> 他宁可去图书馆看书，也不愿意参加聚会。
> 与其排队买票看足球赛，不如看电视转播。

Correlative words such as 宁可……也，与其……不如 are often used.

The grammatical features of endocentric sentences

Complex sentences of endocentric / subordinate relations generally consist of two clauses.

Normally, the subordinate clause precedes the main clause. But there are also cases where the main clause comes first. In this case, it suggests an additional explanation. For example:

> 他明天不能去上班，因为他病了。
> 我今天不想打球，虽然我很喜欢打球。
> 咱们去看电影吧，如果你有时间的话。

Generally speaking, correlatives are necessary in endocentric complex sentences.

Positions of correlatives in endocentric / subordinate complex sentences

Correlatives often used in the first clause (subordinate clause) are:

尽管，虽然，由于，因为，既然，不管，不论，无论，只要，除非，要是，如果，假如，假使，即使，就是，宁可，与其

Correlatives such as 但是，所以，因此，好，为的是，不如 and correlative adverbs like 反而，却，都，也，就，才 are used in the second clause (main clause). For example:

> 要是下雨，我们就不能野餐了。
> 我说的话是为他好，他反而不高兴了。
> 既然你想成功，你就得努力。
> 他尽管病了，却还坚持来上课。

When the subjects of the two clauses are the same, they are often placed at the beginning of the sentence. The correlative words are often used after the subject. For example:

> 我虽然很想跟你去看电影，但是没有时间。
> 他们如果买不到今天的票，就不能来了。

When the subjects of the two clauses are different, the correlative words are normally placed before the subject of the first clause. For example:

> 因为天气特别不好，我们不能骑车出去玩了。
> 即使他不同意我去，我也去。

The correlative adverbs such as 才，都，却 etc. should be placed after the subject and before the predicate. For example:

> 我们已经说好今天一起去伦敦，她却改变主意了。
> 除非你给我买好票，我才去。

The following are the points that merit special attention when using endocentric complex sentences:

When the relationship between the clauses is fairly clear, the correlative in the first clause is often dropped. But the correlative in the second clause usually cannot be dropped. For example:

> 虽然他没来开会，可是他同事来了。
>
> 他没来开会，可是他同事来了。
>
> 就是有时间，她也不喜欢逛街。
>
> 有时间，她也不喜欢逛街。
>
> 除非她也去，我才去。
>
> 她也去，我才去。

One cannot say 虽然他没来开会，他同事来了 or 就是有时间，她不喜欢逛街 or 除非她也去，我去。

Correlative adverbs can never be used before the subject. For example:

> 无论谁写的作业，她都认真批改。
>
> 既然今天没刮风，咱们就去划船吧。

One cannot say 无论谁写的作业，都她认真批改 or 既然今天没刮风，就咱们去划船吧。

The following table listed the commonly used correlative words in endocentric complex sentences.

Transitive relation	虽然……，但是……
	尽管……，但是……
	……，然而……
	……，反而……
	……，却……
	……，只是……
	……，不过……
Causative relation	因为……，所以……
	由于……，（因此）……
	……，因此……
	既然……，就……
	之所以……，是因为……

Conditional relation	不管……，都（也）……
	不论……，都（也）……
	无论……，都（也）……
	一……，就……
	只要……，就……
	只有……，才……
	除非……，才……
	一……，就……
Purposive relation	为了……
	……，为的是……
	……，免得……
	……，好……
Suppositional relation	要是……，就……
	如果（的话）……，就……
	假使……，就……
	假如……，就……
	假如……，那么……
	倘若……，就……
Preference relation	宁可……，也……
	宁愿……，也……
	与其……，不如……

Research - based Essay Guide

Rationale

The exploitation of target language source materials for the research-based essay contributes to the language-learning process and to increased use of the TL in the classroom.

It encourages wide reading, individual research, and personal initiative. It provides the opportunity for students to acquire the skills of researching, selecting and organising material in a piece of work written in Chinese.

Choice of title within the prescribed topics and texts enables students to explore and write on a topic which interests them, and express their own ideas in their own words in the target language, thus deepening their knowledge of the target culture.

Key requirements for the research-based essay

Candidates must:

- Do extensive reading (in Chinese and/or in English).
- Choose topics based on their personal interests and individual research.
- Devise clearly focused titles.
- Give their work an evaluative and analytical dimension.
- Reflect seriously on the topic and produce a well-structured plan.
- Express the ideas and knowledge developed during their research in their own words.
- Provide a bibliography of the resources which they have consulted.
- Ensure that their answer is firmly rooted in the target culture.

Specification requirements

Teaching the research-based essay:

- The research-based essay carries 60% of the total unit marks, 30% of the mark. Students must prepare for this during their course and should produce an essay plan (See Appendix 2) in advance of the examination. The essay must adhere to the essay plan and forms part of Unit 2 (Section 1b) which is an Edexcel time-tabled examination. It should be 500–1,000 characters long.
- The title should be phrased as a question and the candidate must provide a list of books, articles and websites consulted during the course of the research, and quoted or cited in the essay, with author, date and publisher. Space for this is provided on the essay plan (See Appendix 2).

• The teacher should ensure that writing skills are sufficiently developed to allow candidates to perform at an appropriate level for their chosen topics.

Specific topics/focused titles

Planning and research

• Students must be guided to produce a title which clearly shows the essay is solidly based on Chinese society and culture. Candidates must focus on analysis and evaluation, rather than a descriptive or a narrative account. Expressing the title in the form of a question helps give the right focus.

• Candidates from the same centre may use the same essay titles, but must not produce identical, readymade essays. This would be regarded as plagiarism.

• While teachers should teach the topics and texts, and give general guidance on essay writing, it is essential that candidates produce their own individual essay.

Essay Plan

• All candidates must take an essay plan into the examination. The essay plan (See Appendix 2) includes space for a full list of references. The plan should consist of approximately 100 characters.

• Candidates may not use dictionaries or other reference materials in the examination.

Sources

• Candidates' research should involve thorough reading of sources, which may be in Chinese or in English.

• The plan and the essay must be written in Chinese. All materials quoted or cited in the essay must be referenced fully at the end of the essay. Candidates must give the title, author, date and place of publication, publisher in the case of books or journals and individual articles, and precise website addresses.

• Downloaded material must be retained by the centre in case of inquiry.

• It is important that students read with understanding, rather than engage in excessive reading and indiscriminate quoting.

NB: While it is not absolutely necessary to cite additional sources when writing about the literary texts (history, geography and society). It is essential to cite and list the sources consulted in the case of the topics.

Word count

The essay must be 500–1,000 characters, (excluding the bibliography and punctuation spaces). It is unlikely that a shorter essay will have sufficient content to achieve marks in the top band.

Plagiarism and use of resources

Any sources which are directly quoted must be acknowledged and referenced. Students should be selective and analytical in their use of sources, quoting and citing to support their own arguments. All quotations must be in quotation marks.

(摘自Edexcel网站: http://www.edexcel.org.uk/)

Centre No.						Paper Reference	Surname					Initial(s)

Paper Reference

6 **2** **6** **2** **/** **0** **1**

Signature

Examiner's use only

Team Leader's use only

Paper Reference(s)

6262/01

Edexcel GCE

Chinese

Advanced

Unit 2: Reading and Writing

Topics and Texts

Essay Plan Form

**This must be taken into the examination on
Monday 9 June 2008 in the morning.**

Instructions to Candidates

In the boxes above, write your centre number, candidate number, your surname, initials and signature.
Produce your essay plan using no more than 100 Chinese characters (including proposed essay title).
At the end of the examination, you must attach this form to your answer booklet with a treasury tag.

Information for Candidates

This form should be completed prior to the examination and brought with you into the examination
room. You should refer to this form when writing your essay.

Printer's Log. No.
M31553A
W850/6262/57570 2/

Turn over

advancing learning, changing lives

Leave
blank

Title of essay:

Plan

-

-

-

-

-

Leave
blank

References/sources used:

BLANK PAGE